TITAN

Collection dirigée par
Stéphanie Durand

De la même auteure chez Québec Amérique

Jeunesse

Pétronille 2 – Pétillo!, Album, 2013.

Pétronille 1 – Barbouillette!, Album, 2011.

Cassiopée, coll. QA Compact, 2002.
- **Livre préféré des jeunes de 12-17 ans au palmarès de Communication-Jeunesse 2003-2004**

Les vélos n'ont pas d'états d'âme, coll. Titan, 1998.
- **Mention spéciale du jury – Prix Alvine-Bélisle**
- **Traduit en anglais**

La Route de Chlifa, coll. Titan+, 1992. Nouvelle édition, 2010.
- **Prix littéraire du Gouverneur général du Canada 1993**
- **Prix 12/17 Brive-Montréal 1993**
- **Prix Alvine-Bélisle 1993**
- **Livre préféré des jeunes, Communication-jeunesse 1993-1994**
- **Roman préféré des 18-108 ans, Sondage «Coup de cœur» 1997**

L'Homme du Cheshire, coll. Bilbo, 1990.

Cassiopée – L'Été des baleines, coll. Titan, 1989.

Cassiopée – L'Été polonais, coll. Titan, 1988.
- **Prix du Gouverneur général**
- **Traduit en suédois, en espagnol, en catalan et en basque**

Adulte

La Troisième Lettre, coll. Tous Continents, 2007. Nouvelle édition, coll. QA Compact, 2011.

ROUGE
POISON

Projet dirigé par Anne-Marie Villeneuve, éditrice

Mise en pages : Andréa Joseph [PageXpress]
Révision linguistique : Diane Martin et Catherine Beaudin
Conception graphique : Isabelle Lépine

Québec Amérique
7240, rue Saint-Hubert
Montréal (Québec) Canada H2R 2N1
Téléphone : 514 499-3000, télécopieur : 514 499-3010

Nous reconnaissons l'aide financière du gouvernement du Canada par
l'entremise du Fonds du livre du Canada pour nos activités d'édition.

Nous remercions le Conseil des arts du Canada de son soutien. L'an
dernier, le Conseil a investi 157 millions de dollars pour mettre de l'art
dans la vie des Canadiennes et des Canadiens de tout le pays.

Nous tenons également à remercier la SODEC pour son appui financier. Gouvernement du Québec – Programme de crédit d'impôt pour
l'édition de livres – Gestion SODEC.

Michèle Marineau remercie le Conseil des arts et
des lettres du Québec de son appui financier.

**Catalogage avant publication de Bibliothèque et Archives nationales
du Québec et Bibliothèque et Archives Canada**

Marineau, Michèle
Rouge poison
(Titan jeunesse ; collection Titan #43)
ISBN 978-2-7644-0080-7 (Version imprimée)
ISBN 978-2-7644-1561-0 (PDF)
ISBN 978-2-7644-1939-7 (ePub)
I. Titre. II. Collection.
PS8576.A657R675 2000   jC843'.54   C00-941623-4
PS9576.A657R675 2000
PZ23.M37Ro 2000

Dépôt légal, Bibliothèque et Archives nationales du Québec, 2000
Dépôt légal, Bibliothèque et Archives du Canada, 2000

Réimpression : novembre 2017

Imprimé au Canada

ROUGE
POISON

MICHÈLE MARINEAU

QuébecAmérique

À Catherine,
qui a été bien patiente

Prologue

Il y a d'abord eu Andrew, le jour de la Saint-Valentin.

Andrew Mason-Beauchamp, onze ans, ailier gauche des Braves de Saint-Stanislas, s'est écroulé pendant la deuxième période d'un match de hockey qu'il disputait à l'aréna Mont-Royal. L'équipe d'Urgences-Santé dépêchée sur les lieux n'a pas réussi à le sauver, et Andrew est mort au cours du transport à l'hôpital. L'autopsie a révélé qu'il avait succombé à des hémorragies causées par l'absorption d'une dose massive d'hépacourine, un puissant anticoagulant. Dans quelles circonstances Andrew avait-il pris ce produit, et comment en avait-il absorbé une telle dose ? Personne n'a pu répondre à ces questions. Aussi, après une enquête sommaire, la police a-t-elle conclu à un malheureux accident.

Quelques semaines plus tard, à deux pas de l'aréna Mont-Royal, une fillette de sept ans, Julie-Anne Hamel, mourait elle aussi d'une surdose d'hépacourine.

Aussitôt, tout le quartier a été saisi de panique. Personne ne croyait plus qu'il puisse s'agir d'accidents. On a commencé à parler d'empoisonnements, d'assassinats, de meurtres en série. La nouvelle a fait la une d'un journal à sensation.

ATTENTION : POISON !

Après Andrew, c'est au tour de Julie-Anne de mourir, empoisonnée par un anticoagulant qui a provoqué des hémorragies internes. C'est en jouant au parc des Compagnons de Saint-Laurent, communément appelé le parc des Indiens, en face de chez elle, que la fillette a manifesté les premiers signes de malaise. On se rappellera que c'est dans ce parc que se trouve l'aréna Mont-Royal, où, il y a un mois, le jeune Andrew Mason-Beauchamp est mort dans des circonstances similaires. On sait que des anticoagulants entrent notamment dans la composition de la mort-aux-rats.

Des questions se posent donc. Un fou meurtrier a-t-il décidé d'éliminer les enfants de ce quartier comme s'il s'agissait de vulgaires rats? Verrons-nous les enfants du Plateau Mont-Royal périr les uns après les autres? Et, surtout, qu'attend la police pour réagir et mettre fin aux agissements du maniaque au poison?

Après les deux drames, une atmosphère morbide flottait autour du « parc de la Mort », comme disaient les gens. Une atmosphère faite de peur, de curiosité, de suspicion. Des policiers patrouillaient constamment les lieux. Les parents interdisaient à leurs enfants de jouer dans le parc. Les enfants y allaient quand même, curieux de voir s'il allait se passer quelque chose, et persuadés qu'ils sauraient se garder de tout danger, eux.

Pourtant, ce n'est pas au parc des Indiens, mais à une quinzaine de rues de là, à côté de la piste cyclable, tout près de la voie ferrée du CP, qu'a été retrouvé le corps de la troisième victime, Mathieu Lozier, douze ans.

Jour 1

31 mars
Dimanche des Rameaux

Quis ascendet in montem Domini, aut quis stabit in loco sancto ejus ?

Innocens manibus et mundo corde…

Qui montera à la montagne du Seigneur, qui pourra se dresser sur son lieu saint ?

Celui qui a les mains innocentes et le cœur pur…

(Antienne *Pueri Hebraeorum*, chantée pendant la bénédiction des rameaux)

1

La sonnerie du téléphone surprend Sabine en plein sommeil. Comme toujours dans ces cas-là, l'adolescente se réveille en sursaut, affolée, le cœur battant à grands coups désordonnés.

Il fait encore noir. Qui peut bien appeler à une heure pareille ?

La voix de sa mère lui parvient à travers la porte fermée. Une voix rauque de sommeil.

« Mais oui, bien sûr que Sabine va bien. C'est pour savoir ça que tu m'appelles à cette heure-là ? Tu as vu l'heure qu'il est ? Cinq heures ! Cinq heures un dimanche matin !!! »

À son ton exaspéré, Sabine devine l'identité de l'appeleur matinal. Sa mère ne prend ce ton-là qu'avec une personne au monde : Pierre Ross, son ex-mari, le père de Sabine.

« Comment ça, six heures ? Le changement d'heure ? Mais je m'en fiche, du changement d'heure ! Qu'il soit cinq ou six heures ne change rien à l'affaire : ce n'est pas une heure pour… Quoi ??? » hurle maintenant la mère de Sabine d'une voix qui n'a plus rien d'ensommeillé. « Écoute-moi bien, Pierre. Tu sais depuis trois mois que je vais en République dominicaine avec Luc. Pas question que j'annule mon voyage à cause de ta maudite job, est-ce que c'est clair ? J'ai supporté ça pendant huit ans – huit ans ! Les retards, les changements de programme de dernière minute, les absences, les excuses… Mais c'est fini, ce temps-là, as-tu compris ? Fini. Job ou pas job, enquête ou pas enquête, tu viens chercher Sabine aujourd'hui comme prévu et tu la gardes jusqu'au 9, un point c'est tout. »

Elle raccroche le téléphone avec fracas.

Sabine, recroquevillée sous ses couvertures, a suivi la dispute téléphonique avec un malaise grandissant. Ses parents veulent se débarrasser d'elle. Ils se renvoient la balle, et la balle s'appelle Sabine. Elle aimerait pouvoir rire de ce jeu de ping-pong inusité, mais la boule de chagrin qui lui noue le ventre l'empêche de rire. Elle se sent triste. Triste et abandonnée.

Elle se faisait une joie de ces dix jours qu'elle devait passer avec son père pendant que sa mère profitait de longues vacances de Pâques pour aller dans le Sud avec son amoureux. Dix jours. Dix jours complets avec son père (le bonheur!) et sans école (un double bonheur!), puisqu'elle avait réussi à obtenir un congé en promettant d'étudier toute la matière couverte pendant cette période, de faire tous les devoirs et même de faire une recherche supplémentaire. C'était trop beau pour être vrai, semble-t-il. D'après ce qu'elle a compris, Pierre est accaparé par une enquête importante, et il ne veut pas d'elle. Il la considère comme un fardeau inutile et encombrant. C'est clair, et particulièrement déprimant. Quand va-t-il enfin se rendre compte qu'elle n'est plus un bébé? Quand va-t-il comprendre qu'à douze ans, presque treize, elle est grande, raisonnable, pleine d'idées et de ressources?

Depuis qu'elle est toute petite, Sabine a toujours voulu être à la hauteur de ce père qu'elle aime et qu'elle admire plus que tout au monde, entre autres à cause de sa « maudite job », comme dit sa mère. Sabine, elle, ne trouve pas que c'est une

« maudite job ». Au contraire, elle est toujours très fière d'annoncer à ses amis que son père est lieutenant-détective à la Division des homicides du Service de police de la Communauté urbaine de Montréal. Oui, elle est fière de lui, fière de son travail, fière de savoir qu'il mène des enquêtes importantes et qu'il rend service à la société en pourchassant des criminels. Elle regrette juste qu'il ne veuille pas d'elle quand il est plongé dans une enquête délicate.

Si seulement il lui laissait une chance de prouver qu'elle peut être utile !

Mais, en attendant le jour béni où son père l'appréciera à sa juste valeur, Sabine ne sait pas où elle va passer les dix prochains jours. Pourvu que ce ne soit pas chez la voisine, Mme Sabourin, la mère de l'horrible Daphnée-Anne !

2

Finalement, ce n'est pas chez Mme Sabourin mais chez son ami Xavier que Sabine aboutit à l'heure du souper.

Xavier, sa petite sœur Stéphanie et leurs parents – Serge Bourdon et Geneviève Perreault – vivent à côté de chez Pierre Ross, avenue De Lorimier, au troisième étage d'une maison entièrement habitée par des membres de la famille Perreault. Sabine, dont la famille se réduit à des parents divorcés et à un grand-père qu'elle ne voit jamais, aime bien se retrouver ainsi au cœur d'une famille qui ressemble à celles des histoires d'autrefois. Un grand-père exubérant, une grand-mère souriante, une tante qui mord dans la vie à pleines dents. Et, quelques jours par mois, un oncle un peu étrange, atteint d'une maladie mentale au drôle de nom – la schizophrénie –, qui leur a causé bien des angoisses quelques années plus tôt. Sabine et Xavier lui avaient même donné un surnom – l'homme du Cheshire – et avaient mené une enquête à son sujet avant de savoir qui il était!

Pierre Ross n'a pas pu venir chercher Sabine pour la conduire chez Xavier, mais il a quand même pris le temps de lui téléphoner pour lui dire de se rendre là-bas en taxi.

« J'ai déjà remis l'argent pour le taxi à Geneviève, la mère de Xavier... J'irai te voir dès que je le pourrai. Je t'aime, ma grande. »

Dès qu'il le pourra... Ça veut dire quoi, au juste ? s'est demandé Sabine en raccrochant le téléphone. Qu'il passerait la voir quelques fois, entre deux rendez-vous ou à la fin de journées trop remplies ? Qu'il lui passerait la main dans les cheveux ou lui embrasserait le bout du nez sans même prendre le temps d'enlever son manteau avant de repartir sur les traces de ses criminels ? Adieu, vacances de rêve...

Malgré tout, Sabine a été soulagée en apprenant qu'elle se retrouverait chez Xavier pour ces dix jours. Soulagée... et passablement excitée par l'atmosphère de drame qui règne dans le quartier.

« Tu comprends », dit-elle à son ami dès qu'elle se trouve seule avec lui, après le souper, « quand mon père a téléphoné à l'aube pour savoir comment j'allais, j'ai tout de suite compris qu'il se passait quelque chose de spécial. Et quand il a insisté pour que je ne vienne pas chez lui comme prévu, j'ai su que le quelque chose n'était pas seulement spécial mais terriblement excitant. Heureusement que ma mère tenait à son voyage et qu'elle a refusé de céder! Tu te rends compte, s'il fallait que je sois en train de me morfondre au fin fond de Laval pendant qu'il se passe des choses fabuleuses ici… Allez, raconte-moi tout. Au téléphone, mon père m'a dit qu'il y a eu des morts suspectes dans le quartier, mais il s'est montré avare de détails. Pourtant, il doit en connaître, des détails, puisque c'est lui qui est chargé de l'enquête… »

Xavier a laissé se déverser le flot de paroles. Il a l'habitude des enthousiasmes de Sabine. Cette fois, cependant, il trouve qu'elle exagère. « Excitant » et « fabuleux », dit-elle. Alors qu'il s'agit de morts – de meurtres, plus précisément. Les meurtres sont peut-être excitants dans les films ou dans les romans, quand Sherlock Holmes ou Hercule Poirot mettent en œuvre leur talent et leurs petites cellules grises pour résoudre les mystères et démasquer les coupables. Ils sont nettement moins excitants quand ils se produisent près de chez vous, que les morts sont des enfants et que vous connaissez une des victimes.

En fait, Xavier a peur, tout en se sentant étrangement fasciné par cette histoire qui, depuis des semaines, fait régulièrement la manchette des journaux. Dès la mort de Julie-Anne, il a découpé tous les articles qu'il a pu trouver sur elle et sur Andrew. Il les a lus et relus, intéressé malgré lui par les détails pourtant banals, par les faits et gestes des victimes dans les heures ayant précédé leur mort.

Andrew avait passé la journée à l'école… Il s'était fait taquiner par ses amis parce que Myriam Bigras lui avait donné une carte de Saint-Valentin… Il aimait les cœurs à la cannelle… Il était plus intéressé par le Nintendo, le hockey et ses jeux avec ses copains que par l'école… Ses parents sont effondrés. Sa mère, Nancy Mason, répète que tout allait bien, qu'elle n'a rien noté d'anormal… Après l'école, il est passé chez lui pour prendre son équipement de hockey, puis il est allé souper chez un ami, Maxime Lavoie, en compagnie d'un autre ami, Dave Séguin-Soucy. À cinq heures et demie, tous trois se sont rendus à l'aréna Mont-Royal… Au cours de la première période, Andrew a pris part à une bagarre. C'est sans doute à ce moment qu'il a reçu les coups qui ont déclenché l'hémorragie fatale.

Comme tous les samedis, Julie-Anne se faisait garder par Bianca Bouthillier, quinze ans, pendant que sa mère travaillait… Elle avait été à son cours de gymnastique au Centre Immaculée-Conception… Bianca et Julie-Anne avaient partagé une poutine à la cafétéria du Centre avant de flâner un peu sur l'avenue du Mont-Royal… La jeune Bianca est formelle: elle n'a pas laissé Julie-Anne sans surveillance un seul instant, et personne ne lui a donné quoi que ce soit… C'est en jouant au parc des Indiens, avec ses copines Mélanie et Véronique, que Julie-Anne s'est effondrée, peu de temps après être tombée d'une balançoire…

Le parc des Indiens est à quelques minutes de chez Xavier. Il passe devant tous les jours. Il y a joué d'innombrables parties de baseball et de soccer. Peut-être y a-t-il déjà croisé Andrew ou Julie-Anne. Peut-être y a-t-il déjà croisé celui ou celle qui leur a fourni (où ? quand ? comment ? pourquoi ?) l'anticoagulant qui devait les tuer.

Et Mathieu ? Est-il passé par le parc des Indiens, lui aussi, avant de se retrouver le long de la voie ferrée ? Qu'a-t-il bien pu arriver à Mathieu ?

Quand il pense à ce dernier, Xavier n'a pas seulement peur, il a surtout le goût de pleurer, de hurler ou de cogner à grands coups de poing dans les murs. Mathieu était dans sa classe, il faisait partie de la même chorale que lui, et c'était un de ses amis.

« Alors, insiste Sabine. Tu me racontes ce qui s'est passé, oui ou non ? »

Avec un soupir, Xavier se lève, fouille dans les papiers qui encombrent son bureau, puis dépose des coupures de journaux devant Sabine, qui est assise par terre, les jambes croisées et le dos appuyé au lit.

« Il y a d'abord eu Andrew, le jour de la Saint-Valentin… »

3

Xavier raconte tout ce qu'il sait sur Andrew et Julie-Anne. Sabine, exceptionnellement, l'écoute sans l'interrompre une seule fois. Puis elle étudie les articles de journaux avec attention.

Soudain, elle fronce les sourcils. Il y a quelque chose qu'elle ne comprend pas.

« Andrew est mort le 14 février, dit-elle. Julie-Anne est morte le 16 mars. Nous sommes le 31 mars. Pourquoi est-ce que mon père a attendu à la dernière minute pour nous dire qu'il était plongé dans une enquête et qu'il voulait annuler mon séjour chez lui ? Pourquoi est-ce qu'il avait l'air si paniqué, ce matin ? Pourquoi est-ce qu'il a été tellement occupé, toute la journée, qu'il n'a même pas pu venir me chercher à Laval ? »

Le mélange d'angoisse et de douleur qui habite Xavier depuis le matin se fait plus intense, tout à coup. Il a du mal à respirer. Il ferme les yeux un instant, le temps de retrouver son souffle.

« Il y a eu Andrew et Julie-Anne, finit-il par dire d'une voix étranglée. Et puis il y a eu Mathieu. Il est mort hier soir. Mais c'est seulement ce matin que je l'ai appris, juste avant la messe… »

*

Dimanche des Rameaux, onze heures moins dix. Dans une petite salle attenante à la basilique de l'oratoire Saint-Joseph, les garçons de la chorale achèvent d'enfiler leur aube, de nouer leur ceinturon, de rattacher leurs lacets. Félix Corriveau et Benoît Doucet ne retrouvent pas leur cartable de musique. Louis-Albert Sauvageau-Goyette a perdu un soulier. Jérôme Fafard et Mathieu Lozier sont en retard, comme d'habitude. André Chamberland, le directeur de la chorale, peste et tempête, comme d'habitude.

« Ces deux-là, grogne-t-il, au prochain retard, je les expulse… »

Jérôme fait enfin irruption, rouge et essoufflé, au moment où les autres commencent à se mettre en rangs.

« Ce n'est pas trop tôt, ironise M. Chamberland. Et ton copain Mathieu, tu l'as oublié dans un métro ?

— Non, monsieur, non. Il… il est… mort », souffle Jérôme, tête baissée.

Le temps semble se figer un moment. Les garçons se regardent les uns les autres, incapables de déterminer s'il s'agit d'une blague. Seule la respiration oppressée de Jérôme trouble le silence. Paul-Alexandre Toupin est le premier à réagir :

« Hé ! Fafard, le 1er avril, c'est demain, au cas où tu ne le saurais pas ! Tes poissons d'avril, garde-les donc pour plus tard. »

Jérôme relève la tête d'un coup sec.

« Puis toi, tes farces plates, garde-les donc pour toi ! » lance-t-il avant d'éclater en sanglots.

C'est à ce moment-là que tout le monde comprend hors de tout doute que Mathieu est vraiment mort.

« Et puis… » Jérôme s'essuie les yeux de ses poings et il renifle un bon coup avant de continuer. « Et puis, il n'est pas juste mort, il a été assassiné. »

Le mot a l'effet d'une bombe. Assassiné ??!!! Oubliant leurs rangs et la messe qui va commencer, tous les garçons se mettent à parler en même temps. Assassiné ? Mais quand ? Comment ? Par qui ?

Le directeur de la chorale coupe court au déferlement de questions et d'exclamations.

« Il est onze heures, messieurs. La messe commence. On y va. »

Jerôme ne se joint pas à la chorale. Mais, au moment où ses amis quittent la pièce, il lance :

« C'est un coup du maniaque au poison. »

*

Le maniaque au poison. Le maniaque au poison. Tout en s'efforçant de chanter le *Kyrie* ou le *Pueri Hebraeorum* accompagnant la bénédiction des rameaux, Xavier se répète ces mots. Le maniaque au poison. Et la peur lui tenaille le ventre, la peine le prend à la gorge, la douleur envahit tout son corps.

« *Pueri Hebraeorum tollentes ramos olivarum...* », chante-t-il. Les enfants des Hébreux, portant des rameaux d'olivier... « *Hosanna in excelsis...* » Hosanna au plus haut des cieux !

La messe se déroule comme dans un rêve. Xavier attrape des lambeaux de sermon, des mots ici et là, mais rien de tout cela n'a le moindre sens pour lui. Les mots « assassiné » et « maniaque au poison » continuent à lui marteler le crâne, à lui meurtrir le cœur. La veille, à la même heure, il jouait au soccer avec Mathieu et Jérôme. La veille, Mathieu courait, riait, rouspétait. La veille, il était vivant. À présent, il est mort. Assassiné. Par le maniaque au poison. Xavier se demande comment il arrive à chanter. Pourtant, il chante, machinalement mais sans trop de fausses notes. Il a hâte que la messe finisse.

*

Après la messe, quand les garçons reviennent dans la petite salle, Jérôme a disparu. À sa place, un homme attend les jeunes chanteurs : le père Blondin, directeur de l'école des Petits Chanteurs du Mont-Royal.

« Vous connaissez déjà la triste nouvelle, commence-t-il. Votre ami Mathieu Lozier est mort hier dans des circonstances suspectes. Aussi… »

Le père Blondin parle longtemps. Il est question de la vie qui continue malgré la douleur, des desseins de Dieu qui ne sont pas toujours faciles à comprendre, de l'immense peine que doit vivre la mère de Mathieu…

Xavier connaît bien Marie, qui est une grande amie de sa mère et qu'il a toujours trouvée très gentille. Il ne connaît pas du tout le père de Mathieu, qui a disparu avant sa naissance. Marie. Marie sans Mathieu… Ce n'est pas vrai, c'est trop épouvantable…

« … comprenez qu'on ne peut rien changer à l'horaire des cérémonies prévues pour la semaine sainte, dit maintenant le père Blondin. De plus, les funérailles de Mathieu seront célébrées ici, dans la crypte, et votre présence est évidemment requise. J'ai parlé au conseil d'administration, cependant, et à vos professeurs : vos cours sont annulés pour la semaine. Demain, lundi, nous vous accordons une journée de congé. Mais je veux vous voir tous ici mardi matin à neuf heures. Au programme, répétition du *Requiem* de Victoria, qui sera chanté pendant les funérailles de Mathieu. L'horaire précis des répétitions et des cérémonies de la semaine vous sera remis ce jour-là. De plus, un psychologue sera sur place pour… »

En d'autres circonstances, Xavier se serait réjoui de l'annulation des cours. Pour une chorale comme la leur, il y a trois périodes particulièrement épuisantes durant l'année : la semaine de Noël, la neuvaine de Saint-Joseph, la semaine de Pâques. Répétitions, messes, concerts, cours de chant et de piano, offices saints, répétitions, messes encore, et encore, et toujours... Et, à travers tout ça, cours de français, de mathématique, d'anglais...

« Je cède maintenant la parole au lieutenant-détective Pierre Ross, du SPCUM, qui voudrait vous adresser quelques mots. »

Un grand type mal rasé, aux yeux cernés et aux cheveux en bataille s'approche du père Blondin, suivi de près par une jeune femme d'origine asiatique.

Autour de Xavier, des voix se mettent à chuchoter.

« Un détective... comme dans les films... pourquoi il n'a pas d'uniforme... peut-être qu'il va nous interroger... est-ce qu'il va prendre nos empreintes... c'est qui, la femme... c'est la première fois que... c'est excitant... je ne vois pas son revolver, est-ce qu'il a un revolver... ça doit être la bosse, là, sous son veston... où ça... là, à gauche... »

Xavier, lui, est pétrifié. Il sait qui est Pierre Ross, bien sûr: son voisin, le père de son amie Sabine... Il sait aussi que c'est lui qui est chargé d'enquêter sur les décès d'Andrew et de Julie-Anne. C'est donc vrai, se dit-il. Jérôme a raison : c'est un coup du maniaque au poison.

Il n'est pas le seul à penser au maniaque au poison. Avant même que Pierre Ross ouvre la bouche, une question fuse du fond de la salle.

« Est-ce que c'est vrai que c'est un coup du maniaque au poison ? » demande Paul-Alexandre Toupin.

Pierre Ross fronce les sourcils.

« Les nouvelles vont vite, à ce que je vois », grommelle-t-il.

Il fourrage à deux mains dans ses cheveux, qui sont plus ébouriffés que jamais, avant de dire, d'une voix plus forte :

« À première vue, la mort de Mathieu présente des similitudes avec celles des victimes qui ont succombé à une surdose d'hépacourine, oui. Les premières analyses vont aussi dans ce sens, mais ce n'est que dans quelques jours que nous aurons l'ensemble des résultats de l'autopsie et que nous pourrons déterminer la cause exacte de la mort de Mathieu. Ce qui est clair, par contre, c'est que sa mort est suspecte. C'est pourquoi nous sommes ici ce matin. Vous connaissiez Mathieu, vous avez passé beaucoup de temps avec lui au cours des derniers jours. Peut-être certains d'entre vous ont-ils remarqué quelque chose d'inhabituel dans son comportement… Avait-il l'air préoccupé, inquiet, effrayé ? A-t-il eu des contacts avec des inconnus ? Réfléchissez bien et, si vous pensez à quelque chose, communiquez le plus rapidement possible avec moi ou avec ma collègue, la sergente-détective Sophie Nguyen », dit-il avec un geste en direction de la jeune femme. « Je dois maintenant partir, mais la sergente Nguyen est à votre disposition si vous avez des questions. Merci. »

Après une poignée de main au père Blondin et une autre à André Chamberland, Pierre Ross quitte la salle.

Aussitôt, tous les garçons se mettent à parler en même temps.

« Jérôme avait raison : c'est le maniaque au poison… Peut-être… Il tournait autour du pot, je trouve… Des similitudes, une surdose… Pour moi, c'est clair comme de l'eau de roche… Le maniaque… Le maniaque… »

Xavier enlève son aube et enfile son blouson en vitesse. Partir. Partir d'ici. Vite.

*

En sortant de l'église, Xavier ferme les yeux, ébloui. Un soleil aussi éclatant lui semble incongru, indécent même. Mathieu est mort, et ça n'empêche pas le soleil de briller.

« Je te ramène chez toi ? »

La voix, derrière lui, fait sursauter Xavier.

C'est Pierre Ross, qui semble encore plus fatigué, plus cerné et plus mal rasé dans la lumière crue du soleil.

Sans un mot, Xavier suit le détective jusqu'à son auto. Il monte, s'assoit, attache sa ceinture de sécurité. Pierre Ross démarre et quitte le stationnement de l'Oratoire. Il conduit vite, nerveusement, sans dire un mot – du moins pendant la première partie du trajet.

« Je suis désolé, pour ton ami, finit-il par dire quand ils arrivent au boulevard Saint-Joseph. Quand j'ai su que tu le connaissais, j'aurais voulu t'apprendre la nouvelle moi-même. Je suis passé chez toi, mais tu étais déjà parti pour l'Oratoire… »

Un silence. Pierre Ross s'attend-il à ce que Xavier dise quelque chose ? Le garçon regarde le détective du coin de l'œil. C'est la première fois qu'il le voit dans l'exercice de ses fonctions. A-t-il toujours l'air aussi sévère, aussi sombre ? Ou n'est-ce qu'un effet de la fatigue ? On dirait qu'il a passé la nuit debout.

Feu rouge. Feu vert.

« J'ai interrogé ton copain Jérôme pendant une partie de la nuit. Jérôme Fafard. Il m'a dit que tous les trois – Mathieu, toi et lui –, vous aviez été à votre cours de soccer hier matin, au Centre Immaculée-Conception.

— Oui.

— Vous avez été là pendant combien de temps ?

— De dix heures à une heure et demie, à peu près. On se prépare pour les Jeux de Montréal, alors on reste plus longtemps que d'habitude. »

Pierre Ross hoche la tête.

« Je vois. Et, pendant ce temps-là, tu n'as rien remarqué de spécial ?

— Non.

— Vous êtes restés dans le gymnase tout ce temps-là ?

— Non. On a eu une pause d'à peu près une demi-heure, vers midi. Mathieu, Jérôme et moi, on est allés à la cafétéria du Centre.

— Vous avez mangé ?

— Un peu, oui. J'ai pris des amandes fumées et un jus d'orange. Jérôme a pris un carré au Rice Crispies et un berlingot de lait. Mathieu, lui… »

Xavier s'interrompt, l'air troublé.

« Mathieu, lui ? répète le détective.

— Il a dit quelque chose comme : "Je prendrais bien une poutine, mais j'aurais trop peur de finir comme la petite fille qui est morte. Elle avait mangé une poutine ici, le jour de sa mort…" Mais il disait ça en blague, évidemment.

— Évidemment. Il a pris quoi, finalement ?

— Une barre de chocolat Aero et un 7-Up.

— Il n'a rien trouvé par terre ou sur une table ? Bonbon, boisson, chocolat…

— Non.

— Il n'a rien acheté d'autre avant de quitter la cafétéria ? Au comptoir ou dans une machine distributrice ? Des biscuits, des chips, des bonbons ?

— Non. »

Pierre Ross hoche la tête plusieurs fois en disant « je vois, je vois ». Xavier ne voit pas très bien ce que voit le détective, mais il ne dit rien.

La voiture tourne sur l'avenue De Lorimier. Ils sont presque rendus chez Xavier.

«Ton ami Mathieu, demande soudain Pierre Ross, est-ce qu'il était du genre à accepter des choses d'un inconnu?

— Jamais de la vie! s'exclame Xavier. S'il y a une chose qu'on s'est fait répéter depuis qu'on est petits, et encore plus depuis un mois et demi, c'est de ne *jamais* accepter quoi que ce soit d'un inconnu. En plus, Mathieu n'était pas un bébé. Et il a toujours été du genre prudent.

— Du genre prudent qui fait des escapades jusqu'au mont Royal et qui se promène le long de la voie ferrée, alors qu'il savait très bien que sa mère n'aurait pas été d'accord, justement parce que ce n'était pas *prudent*?

— La voie ferrée? Qu'est-ce qu'il faisait le long de la voie ferrée?

— Tu demanderas à ton ami Jérôme. Il était là, lui aussi.»

Xavier a du mal à comprendre. Que faisaient Mathieu et Jérôme le long de la voie ferrée? Ce n'est pas dans leurs trajets habituels. Il secoue la tête pour s'éclaircir les idées.

«En tout cas, une chose est sûre, répète-t-il au moment où Pierre Ross se gare devant chez lui, Mathieu n'aurait jamais, jamais, jamais accepté quelque chose d'un inconnu.

— Et si c'était quelqu'un qu'il connaissait ? Un épicier du quartier, un prof rencontré par hasard, un instructeur de soccer, la mère ou le père d'un copain ? »

Xavier a l'impression de recevoir un coup de poing en plein ventre.

« Vous pensez… vous pensez que le maniaque au poison pourrait être quelqu'un qu'on *connaît* ? »

Il a la voix qui tremble, tellement cette possibilité lui paraît horrible. Va-t-il falloir commencer à se méfier de tout le monde… y compris de celui qui vient d'insinuer le doute dans son esprit ?

Pierre Ross semble comprendre son désarroi. Il éteint le moteur de l'auto et se tourne vers Xavier.

« Écoute, dit-il, je ne veux pas t'affoler pour rien, mais on ne peut prendre aucun risque, tu comprends ? Selon toi, selon Jérôme, selon la propre mère de Mathieu, celui-ci était prudent et raisonnable. Pourtant, il est mort. J'attends encore les résultats de l'autopsie, mais je suis certain qu'il a succombé lui aussi à une surdose d'hépacourine. Alors, tu vois, tant qu'on ne saura pas qui est le fameux "maniaque au poison" et comment il procède, il ne faudra pas se contenter d'être prudent et raisonnable. Il faudra être extrêmement prudent, extrêmement raisonnable et extrêmement méfiant… quitte à froisser quelques susceptibilités. »

Le détective s'interrompt. Il pose les mains sur les épaules de Xavier et le secoue doucement.

« Je suis sérieux, Xavier. Mortellement sérieux. Sois méfiant. Et passe le mot à tes amis. Arrangez-vous pour rester en groupe. Ne traînez pas dans les rues, dans les parcs. Dites toujours où vous allez, avec qui, pour combien de temps. Je sais que ce n'est pas drôle de vivre de cette façon. Mais mourir est encore moins drôle. »

Il lâche les épaules de Xavier.

« Je compte également sur toi pour faire comprendre ça à Sabine. Tu ne le sais pas encore, mais tes parents ont accepté de l'héberger pour les prochains jours. Elle aurait dû venir chez moi, mais, avec toute cette histoire… » Il hausse les épaules puis secoue la tête en poussant un soupir. « Bref, Sabine va habiter chez vous. Et, connaissant ma fille, j'ai bien peur qu'elle ne veuille résoudre à elle toute seule le mystère des empoisonnements… Promets-moi de tout faire pour l'en empêcher. Je ne peux pas te demander l'impossible, bien sûr, mais je te demande d'essayer.

— Je… je vais faire de mon mieux. »

*

Quelques heures plus tard, voyant l'avidité avec laquelle Sabine écoute son récit, Xavier doute beaucoup de pouvoir tenir sa promesse.

4

Quand Xavier arrête de parler, Sabine est à court de mots, pour une fois. Elle voit bien que Xavier a de la peine. Elle voudrait le consoler, lui dire qu'elle comprend, mais elle n'est pas très à l'aise avec les émotions, pas plus les siennes que celles des autres.

Elle se racle la gorge une fois ou deux avant de dire, d'une voix hésitante :

« As-tu… as-tu une idée de ce qui a pu se passer ? »

Xavier secoue la tête d'un air malheureux.

«Non.»

Il ne paraît pas disposé à élaborer sur le sujet.

Au bout d'un moment, Sabine reprend la parole.

«C'est quand même bizarre d'empoisonner les gens avec un anticoagulant... Dans les livres, les assassins utilisent de l'arsenic, de la digitaline, du cyanure...»

Xavier hausse les épaules. Le type de poison utilisé par l'assassin est bien le dernier de ses soucis.

«Pourquoi un anticoagulant?» poursuit Sabine en fronçant les sourcils.

Elle fourrage à deux mains dans ses cheveux. Exactement comme son père, se dit Xavier, qui trouverait ça drôle s'il n'était pas aussi triste.

«Peut-être que...»

Mais Sabine n'a pas l'occasion de terminer sa phrase. Geneviève, la mère de Xavier, vient d'apparaître dans le cadre de porte.

«Désolée, les grands, mais il commence à se faire tard. Je sais que vous avez beaucoup de choses à vous dire, mais vous pourrez continuer demain. Sabine, je t'ai installé un lit de camp dans la chambre de Stéphanie. J'espère que ça te convient. Et je t'ai sorti une serviette et une débarbouillette. Elles sont sur la laveuse, dans la salle de bain. J'ai aussi libéré un tiroir pour que tu y ranges tes vêtements. Viens voir… »

*

« … on va colorier nos poissons, et puis on va les découper, et puis… »

Allongée dans le noir, Sabine a du mal à se concentrer sur le babillage de Stéphanie. Elle aime bien la petite sœur de Xavier, mais, pour l'instant, les poissons d'avril l'intéressent beaucoup moins que les poisons.

« … et puis Juliette a dit qu'on pourrait plastifier les poissons et les exposer dans le hall d'entrée de l'école, et puis… »

Malgré ses préoccupations, Sabine ne peut s'empêcher de sourire. Ce n'est pas de l'amour que Stéphanie éprouve pour Juliette, son enseignante, « la meilleure maîtresse de 1re année B du monde », c'est de l'adoration. Une adoration totale, débordante, presque violente.

« J'ai tellement, tellement hâte à demain ! Est-ce que je t'ai dit que Juliette a promis de nous apporter des surprises, pour la fête des poissons d'avril ? Est-ce que je t'ai dit que je vais faire un poisson mauve avec des lignes argent ? »

Stéphanie continue à parler des poissons, et de Juliette, et de la fête du lendemain. Peu à peu, cependant, son débit ralentit. Elle commence une phrase, la laisse en suspens, la reprend pour l'interrompre aussitôt, grommelle encore quelques mots… Puis sa respiration se fait lente et lourde. La fillette s'est enfin endormie.

Sabine, elle, a l'impression qu'elle ne s'endormira jamais. Trop de questions se bousculent dans sa tête.

Andrew, Julie-Anne, Mathieu. Trois enfants. Trois morts. Trois surdoses d'un anticoagulant appelé hépacourine. D'après les journaux que Xavier lui a montrés, les anticoagulants sont des médicaments utiles dans certaines maladies. Ils empêchent le sang de se coaguler, de former des caillots. Le problème, c'est qu'ils peuvent aussi causer des hémorragies. Comme dans les cas d'hémophilie. Sabine a déjà vu un reportage sur cette maladie. Le fils du tsar de Russie en souffrait, juste avant la Révolution, et c'est à cause de ça qu'un moine complètement fou, Raspoutine, avait eu autant d'influence sur la femme du tsar. Il était censé savoir comment guérir le prince, ou le tsarévitch, comme on disait, et qui s'appelait Nicolas. Non, Alexis. Nicolas, c'était son père. Nicolas et Alexandra. Le dernier tsar de Russie et sa femme.

Dans son lit de camp, Sabine secoue la tête. Ses pensées s'en vont dans tous les sens. Elle doit se concentrer. Ce n'est pas un Russe mort depuis longtemps qui va l'aider à résoudre le mystère des meurtres à l'hépacourine. Pourquoi avoir choisi ce produit, semblable à la mort-aux-rats, comme l'ont précisé les journaux ? Les rats en avalent puis, lorsqu'ils se cognent ou se battent entre eux, ils se mettent à saigner et finissent par crever, au bout de leur sang. Sabine a un frisson d'horreur en pensant que quelqu'un, quelque part, a fait avaler à des enfants des doses massives d'un produit comme celui-là… Qui a pu faire une chose pareille ? Et comment cet individu s'y est-il pris pour faire avaler le poison aux enfants ? D'après les journaux, il a probablement mis l'anticoagulant dans de la nourriture. Quelle nourriture ? Des biscuits ? des bonbons ? de l'eau ? des boissons gazeuses ?

Des cœurs à la cannelle. Une poutine…

Poutine. Il y a un Russe qui s'appelle comme ça. Le président, le premier ministre, quelque chose du genre... Poutine. Raspoutine. Le tsarévitch Alexis. Du sang. Du sang partout.

Sabine sent ses paupières qui s'alourdissent. Elle se secoue une fois de plus, tente de s'éclaircir les idées. Elle ne veut pas s'endormir. Pas encore. Elle doit continuer à réfléchir.

La poutine. Julie-Anne. La gardienne de Julie-Anne. Comment elle s'appelait, déjà ? Elle avait un joli nom. Julie-Anne aussi était jolie. Une petite brune souriante et bouclée, d'après les photos. Qui a bien pu vouloir la tuer ?

Et Andrew ? Et Mathieu ? Qui leur voulait du mal ?

Une carte de Saint-Valentin. Myriam. Ailier gauche. Les Braves de Saint-Stanislas.

Pourquoi de l'hépacourine ?

Pourquoi ces trois enfants-là ?

Pourquoi...

Jour 2

Vous tous qui passez par le chemin,

Regardez et voyez s'il est une douleur pareille

À la douleur qui me tourmente.

(Première *Lamentation* du prophète Jérémie, verset 12)

5

Sabine a sûrement fini par s'endormir, puisqu'elle se réveille, le lendemain matin, et qu'il lui faut même quelques minutes pour se rappeler où elle est. Chez Xavier, oui, c'est vrai.

À côté d'elle, le lit de Stéphanie est vide. Le réveil indique huit heures quarante-deux. Stéphanie doit être à l'école, avec la meilleure maîtresse de 1re année B du monde. Peut-être est-elle en train de colorier son poisson…

Un bref arrêt à la salle de bain, puis Sabine se dirige vers la cuisine, d'où lui parvient un bruit de voix. Celle de Xavier, qui pose une question, et une autre, qu'elle ne connaît pas.

«Il m'a interrogé pendant des heures. Il ne s'imagine quand même pas que j'ai tué Mathieu! Mais tu aurais dû le voir, avec ses sourcils froncés et son air bête…

Il s'appelait Pierre… Pierre quelque chose. Un nom anglais… Turner ?

— Ross. Pierre Ross. C'est le père de Sabine.

— Sabine ? Tu parles d'un nom… Ma bine, ta bine, sa bine… Aimes-tu les bines, Sabine ? »

L'inconnu émet un ricanement moqueur pendant que Xavier, qui vient de voir apparaître ladite Sabine dans le cadre de porte, tente discrètement de le faire taire. Peine perdue.

« Non, mais, franchement, ça a pas d'allure un nom comme ça… », poursuit le garçon.

Sabine avance d'un pas et lance, d'une voix que la colère fait frémir :

« Ça a sûrement plus d'allure que ton nom à toi. Tu t'appelles comment ? Crétin ? »

Le garçon se tourne vers elle. Xavier en profite pour faire les présentations.

« Jérôme, Sabine. Sabine, Jérôme. »

La colère de Sabine tombe aussitôt, pour faire place à beaucoup d'intérêt. Jérôme a été parmi les derniers à voir Mathieu vivant, non ? Une véritable détective n'a pas le droit de se montrer susceptible face à un éventuel collaborateur.

Plutôt que de l'engueuler, Sabine détaille donc le garçon qui se trouve devant elle. Une silhouette un peu ronde, un t-shirt vert pâle, des cheveux roux, très courts.

« Woups ! marmonne Jérôme, dont le visage prend une teinte cramoisie. Désolé… je ne savais pas que tu étais là… »

Sabine fait un petit geste de la main, à la façon d'une reine saluant distraitement ses sujets. Je suis au-dessus de ces peccadilles, semble-t-elle dire.

« Jérôme. C'est toi qui étais avec Mathieu, samedi. Tu as sûrement une idée de ce qui s'est passé… »

Xavier lève les yeux au ciel. Ce n'est pas vrai ! Sabine ne va pas se mettre à interroger Jérôme à neuf heures du matin, en pyjama, avant même d'avoir commencé à déjeuner !

« Si tu prenais un jus d'orange, avant de te lancer dans ton interrogatoire… »

*

Sabine boit son jus d'orange, puis elle engouffre un énorme bol de céréales, trois rôties couvertes d'une épaisse couche de beurre d'arachide et de confitures de framboises, deux verres de lait…

Comment fait-elle pour rester aussi mince ? se demande Jérôme. Lui, il engraisse juste à regarder un croissant ou un morceau de gâteau.

Mais cette question ne le préoccupe pas longtemps. Il a bien d'autres soucis en tête, dont il avait l'intention de parler à Xavier ce matin. La présence de Sabine l'embête, d'autant plus qu'elle est la fille du policier chargé de l'enquête, mais il a besoin de parler à un ami. Il faut qu'il s'allège un peu du sentiment de culpabilité qui le ronge depuis samedi.

« C'est ma faute », commence-t-il en fixant le bout de table qui se trouve devant lui et le journal posé dessus.

À la page 3 se trouve un entrefilet qu'il a lu et relu.

Mort suspecte d'un adolescent. Le corps sans vie d'un garçon de douze ans, Mathieu Lozier, a été retrouvé tard samedi soir près de la piste cyclable qui longe la voie ferrée du CP, non loin du boulevard Saint-Laurent. Selon...

« C'est ma faute, reprend-il d'une voix étranglée. Si je n'avais pas été aussi pressé, aussi égoïste… Si j'avais attendu Mathieu. Si j'avais appelé sa mère plus tôt… »

Si, si, si. Depuis samedi, Jérôme a l'impression que toutes ses pensées commencent par *si*. Si Alexis n'avait pas été là, s'ils n'étaient pas allés au mont Royal, s'ils n'avaient pas fait une course, si Mathieu n'était pas tombé, si le temps n'avait pas passé aussi vite, si lui, Jérôme, n'était pas allé au hockey ce soir-là, s'il n'avait pas abandonné Mathieu sur la piste cyclable, s'il avait averti la mère de Mathieu…

« Ce n'est quand même pas toi qui as donné le poison à Mathieu, dit Sabine, la bouche pleine de confitures.

— Ton père aussi a dit ça, admet Jérôme. Et mes parents, et même Marie, la mère de Mathieu. Mais… »

Jérôme se tourne vers Xavier.

« Tu te souviens, après le soccer, quand Mathieu a proposé qu'on aille faire un tour de vélo ?

— Oui, répond Xavier. J'aurais voulu y aller, mais il fallait que je rentre. J'avais promis à mes parents de les accompagner chez leur amie Jocelyne, à Sutton. »

Jérôme hoche la tête. Il revoit parfaitement la scène, au coin de la rue Papineau et de l'avenue du Mont-Royal. Il y avait foule, à cause du soleil, et il s'était dit que tout le monde semblait de bonne humeur et que la vie était belle…

«Tu es parti de ton côté, dit-il. Et nous, on est rentrés chacun chez nous pour prendre nos vélos. On s'est donné rendez-vous au parc La Fontaine, à deux heures et demie.»

Jérôme s'interrompt un instant. Il a un ricanement triste avant de continuer.

«Le parc. C'est là que ça a commencé à aller mal.

— Comment ça? demande Xavier.

— D'abord, je suis arrivé au parc plus tard que prévu parce que je n'arrivais pas à me débarrasser d'Alexis Potvin, qui est un achalant de la pire espèce…»

*

Samedi après-midi, un peu avant quinze heures. Le parc La Fontaine est rempli de promeneurs qui veulent profiter du beau temps. La neige fond à vue d'œil, l'eau ruisselle dans les allées, l'air est chargé d'odeurs de terre mouillée et de feuilles en décomposition. Des crottes de chien qui ont passé l'hiver sous la neige réapparaissent un peu partout, signe indéniable de l'arrivée du printemps.

En apercevant Alexis, Mathieu n'a pas l'air content. Il ne l'a pas vu souvent, mais, chaque fois, Alexis, qui est grand et sportif, a trouvé le moyen de se moquer de lui, de sa petite taille, de ses lunettes, de sa timidité…

« Qu'est-ce qu'il fait là, lui ? » demande-t-il à Jérôme.

Jérôme hausse les épaules.

« Il avait le goût de faire du vélo, lui aussi. On va où ? »

Aussitôt, Alexis propose d'aller au mont Royal, ce qui ne fait pas trop l'affaire de Mathieu, qui préférerait rester dans le coin. Sa mère lui a dit de ne pas s'éloigner, et il ne veut pas rentrer tard…

« Bébé lala ! lance Alexis d'une voix méprisante. Petit garçon à sa maman, peureux… »

Mathieu se mord les lèvres. Il aimerait tellement être grand et fort, et faire taire Alexis d'un seul regard !

« Ce n'est pas si loin, le mont Royal », intervient Jérôme, qui aime bien Mathieu mais qui le trouve parfois bien timoré, lui aussi. « Et puis, il y a probablement des tam-tams, avec le temps qu'il fait. On y va, on regarde un peu le spectacle, on revient. Ça ne sera pas long. De toute façon, il ne faut pas que je rentre trop tard, moi non plus : je vais au Centre Molson, ce soir, avec mon père... »

La perspective des tam-tams réussit à convaincre Mathieu. C'est un passionné de musique, et il a toujours été fasciné par les joueurs de tam-tams qui, dès les premiers beaux jours, se rassemblent autour du gros monument érigé au pied du mont Royal, sur l'avenue du Parc. Des heures durant, les musiciens frappent sur leurs instruments, pour le plus grand bonheur des spectateurs. Groupes de jeunes, amoureux de tout âge, flâneurs, touristes, joueurs de aki, familles avec enfants, cyclistes ou randonneurs : tous font le plein de soleil, de rythmes exotiques et de bonne humeur. C'est une fête, une fête qui se répète tout l'été, et même jusque tard à l'automne. Mathieu ne se lasse jamais de les écouter.

Les trois garçons se rendent donc jusqu'au mont Royal, où ils écoutent les tam-tams un moment. Ils poursuivent ensuite leur route sur le chemin des calèches, qui grimpe jusqu'au sommet de la montagne en serpentant. Là, ils font une pause avant de redescendre.

« On fait une course ? propose Alexis.

— Bonne idée ! » répond Jérôme avec entrain.

Mathieu, lui, est plus réticent. Il dit que c'est dangereux, que le chemin est raboteux, que la descente est rapide, que les virages sont parfois très raides. Et puis, le chemin est en terre battue et, avec la neige qui vient juste de fondre, il y a des crevasses, des trous, des branches d'arbres un peu partout…

« Et vous avez vu le nombre de promeneurs ? On va avoir l'air fin si on fonce dans un bébé, une grand-mère ou un aveugle avec son chien ! »

Alexis murmure bien quelques mots comme « peureux, moumoune, bébé lala » encore une fois, mais Jérôme se rend aux arguments de Mathieu. Le chemin des calèches est vraiment trop cahoteux et trop fréquenté.

« Par contre, si on passait par le cimetière… », dit-il.

Les deux autres le regardent d'un air interrogateur.

« Ma grand-mère habite dans le coin, explique Jérôme. À Outremont. Et, pour venir au mont Royal, on passe à travers le cimetière qui aboutit tout près d'ici. Les allées sont désertes et asphaltées. Et le chemin est facile à suivre : il y a une ligne verte qui relie les deux portes du cimetière.

— Et après, comment on va rentrer chez nous ? demande Mathieu.

— En rejoignant la piste cyclable qui longe la voie ferrée, répond Jérôme. C'est facile. Je connais bien le chemin. Et cette piste-là rejoint celle qui passe en face de chez vous... »

Alexis accepte la suggestion de Jérôme avec enthousiasme.

« Je vais gagner, c'est sûr ! » dit-il en enfourchant son vélo.

Mathieu se montre moins enthousiaste. Il se sent fatigué, grognon, il a mal à la tête. Il n'a aucune envie de faire une course, ni quoi que ce soit, d'ailleurs. Tout lui semble lourd et compliqué. Il voudrait être chez lui, tranquille, dans son lit... Alexis lui tombe sur les nerfs. Et Jérôme l'agace, avec sa bonne humeur et sa manie de vouloir trouver des solutions à tout prix.

« Alors, tu te décides ? lance Alexis d'un ton impatient. On ne va pas poireauter ici jusqu'à demain matin. On va au cimetière et on commence la course ! »

Et il ajoute, en agitant les mains d'un air inquiétant et en prenant une voix caverneuse :

« Dans le cimetière, parmi les morts, les squelettes et les revenants… Dommage qu'on ne soit pas à l'Halloween… »

Mathieu hausse les épaules. Alexis est vraiment idiot.

« Bon, d'accord, je vais la faire, la course, lance-t-il d'une voix hargneuse. Comme ça, je vais être débarrassé de toi plus vite ! » Et je serai chez moi plus rapidement, ajoute-t-il en lui-même. Il ne se sent vraiment pas bien.

Les garçons se rendent donc à l'entrée du cimetière.

« Vous voyez la ligne verte ? dit Jérôme. Il suffit de la suivre pour arriver à la porte de l'autre côté. À vos marques, prêts… Partez ! »

Ils s'élancent à toute vitesse, Alexis légèrement avant les deux autres.

Très vite, Jérôme regrette d'avoir suggéré cette route, qu'il n'a toujours suivie qu'à pied. Les allées du cimetière sont étroites, sinueuses… et pas mal plus en pente qu'il ne le croyait. Bizarre à quel point la perspective change selon qu'on est à pied ou à vélo…

On aurait mieux fait de redescendre par le chemin des calèches, se dit Jérôme en freinant pour prendre une courbe particulièrement raide. Ce n'est vraiment pas génial de passer par ici, surtout qu'on peut se retrouver face à face avec une auto n'importe quand. Pourvu que personne ne se fasse mal !

À peine vient-il de se passer cette réflexion que, du coin de l'œil, il voit Mathieu déraper, puis s'envoler avec sa bicyclette. Une courbe, un peu de sable sur la chaussée, un caillou mal placé... Mathieu et son vélo quittent la voie, heurtent une pierre tombale et retombent avec un bruit mat dans un enchevêtrement de bras, de jambes, de roues et de guidon...

Misère de misère de misère ! se répète Jérôme en s'approchant de Mathieu, qui gémit doucement.

« Ça va ? demande Jérôme en se penchant vers son ami. Tu as pris toute une débarque ! Es-tu capable de te relever ?

— Je ne sais pas... »

Mathieu semble vraiment sonné. Il se relève péniblement avec l'aide de Jérôme. Avec précaution, il bouge les bras, les jambes...

« Rien de cassé ? » demande Jérôme.

Mathieu secoue la tête.

« Je ne crois pas, mais... » Il se penche vers l'avant en se tenant le ventre. Il se mord les lèvres et ferme les yeux très fort.

Une larme coule le long de sa joue. « J'ai mal au ventre… »

Son casque de vélo est de travers. Ses lunettes sont tombées. Il a une éraflure sur une joue, près de l'œil, un genou en sang… Et il continue à se tenir le ventre.

« Le guidon. Le guidon m'est rentré dans le ventre. Ça fait vraiment mal », dit-il d'une voix hachée, comme s'il manquait de souffle.

Jérôme regarde autour de lui. Il y a un bon moment qu'Alexis a disparu, et le cimetière est désert. Devrait-il laisser Mathieu là et aller chercher de l'aide ? L'idée ne l'emballe pas. Il n'a pas le goût de laisser Mathieu tout seul. Et puis, le jour commence à tomber. Le soleil est très bas dans le ciel. Pour l'instant, la lumière est magnifique, toute diffuse et dorée. Mais, dans quelques minutes, l'ombre va remplacer la lumière. Et Mathieu ne peut pas rester seul dans le noir…

« Peux-tu continuer ? demande Jérôme d'une voix incertaine. Penses-tu que tu peux remonter sur ton vélo et rentrer chez toi ? C'est ce qui serait le mieux… »

Sans un mot, Mathieu relève sa bicyclette. Le guidon est désaxé, et Mathieu le redresse du mieux qu'il peut. Il remet le vélo dans l'allée et l'enfourche avec peine. Puis il se met à pédaler, très lentement.

Jérôme se remet lui aussi en selle. Il suit son ami jusqu'à la sortie du cimetière.

« J'ai gagné ! J'ai gagné ! hurle Alexis en les voyant arriver. Je suis le meilleur !

— Si tu savais comme on s'en fout ! rétorque Jérôme d'une voix sèche. Mathieu est tombé et il s'est fait mal. »

Pour une fois, Alexis ne passe aucun commentaire désobligeant. C'est vrai que Mathieu a l'air pas mal amoché. Il est blanc comme un drap, il a du sang sur la joue, du sang plein le genou…

Pourtant, il continue à pédaler, lentement mais régulièrement.

« Où on va ? demande-t-il à voix très basse.

— Par là…, dit Jérôme. Je vais passer devant, vous n'avez qu'à me suivre. Veux-tu qu'on arrête chez ma grand-mère ? Elle pourrait s'occuper de ton genou. Tu pourrais appeler ta mère… »

De la tête, Mathieu refuse. Il ne veut pas s'arrêter, il ne veut pas parler, expliquer, justifier… Il veut juste rentrer chez lui, le plus vite possible. Sa maison. Son lit. Marie.

Maman, oh ! maman !

Jérôme emprunte des rues tranquilles. Au moins, ils n'ont pas à se préoccuper des automobiles. À un moment donné, ils doivent descendre une côte très raide. Avec une grimace de douleur, Mathieu met pied à terre. Il descend la côte à pied, lentement et en boitant. Une fois en bas, il reste immobile un instant, les mains appuyées contre son ventre. Puis il remonte sur son vélo.

Le trajet se poursuit. Mathieu pédale par à-coups, de plus en plus difficilement. Il a froid, il a soif… Alexis se met à ronchonner. «Il est tard, je suis tanné, on avance comme des tortues…» Jérôme ne dit rien, mais il commence à s'impatienter, lui aussi. Il est déjà dix-sept heures trente. Il est censé partir pour le Centre Molson à dix-huit heures. Son père doit être en train de pester et de se ronger les sangs. Je vais me faire engueuler! songe Jérôme, qui voudrait accélérer mais qui n'ose pas le faire.

Quand les garçons arrivent enfin sur la piste cyclable qui longe la voie ferrée, il fait vraiment noir. Aussitôt, Alexis se met à pédaler plus vite en disant qu'il en a assez de lambiner et qu'il rentre chez lui sans plus attendre.

« Bon débarras », grommelle Mathieu, qui a de plus en plus de mal à avancer. Il s'arrête souvent, le temps de souffler un peu. Pendant ces arrêts, il se tient légèrement penché, les bras croisés sur le ventre. Il se tâte le genou, qui continue à saigner et qui enfle à vue d'œil. Il se masse légèrement le coude droit…

Jérôme s'inquiète pour son ami, bien sûr, mais il sent aussi grandir sa nervosité et son impatience. À ce rythme-là, ils en ont pour une heure avant d'arriver chez eux. Il pense à son père, qui doit bouillir de rage ; au Centre Molson, qui est à une bonne distance de chez lui ; aux Canadiens, qui ne l'attendront sûrement pas pour commencer la partie…

« Force-toi un peu ! finit-il par dire à Mathieu. Ce n'est pas en t'arrêtant à tout bout de champ que tu vas arriver chez toi… »

On ne voit plus grand-chose, dans le noir, mais Jérôme distingue quand même le regard que Mathieu tourne vers lui. Jamais il n'oubliera ce regard, ni les paroles que Mathieu lui a lancées :

« Pars. Rentre chez toi. Je vais me débrouiller. Mais je vais me souvenir de cette journée-là, Jérôme Fafard ! C'est de ta faute, tout ça : Alexis, le cimetière… »

Il se penche brusquement vers l'avant.

« Va-t'en ! souffle-t-il. Va-t'en. »

Alors Jérôme s'en va. Il serre les dents, il appuie plus fort sur ses pédales et il s'éloigne à toute vitesse sur la piste cyclable.

*

« Je l'ai abandonné. Comme ça. Bêtement. En pleine noirceur. Tout seul sur la piste cyclable. Il avait du mal à avancer. Il souffrait. Et je suis parti. »

Jérôme s'interrompt un instant. Les yeux fixés sur *La Presse* ouverte devant lui, il s'efforce de respirer lentement, profondément. Il regarde le journal, mais l'image qui le hante, c'est celle de Mathieu, tout seul dans le noir. Jamais il ne se pardonnera de l'avoir abandonné. Il renifle, s'essuie le nez avec une serviette de table, puis poursuit son récit.

« Quand je suis arrivé chez moi, mon père m'a engueulé parce que je rentrais tard, parce qu'il avait attendu après moi, parce qu'on allait être en retard au hockey. Alors je n'ai rien dit. Je n'ai pas parlé de Mathieu. J'ai mis mon vélo dans la cour, j'ai changé de chandail en vitesse et j'ai été rejoindre mon père qui m'attendait dans l'auto. Je n'ai même pas eu le temps de souper.

« Quand on est arrivés au Centre, la partie venait de commencer. Pendant la première période, les Canadiens ont compté deux buts. Mon père trépignait de joie à côté de moi. "On va les faire, les séries. On va les faire !" Mais, moi, je ne voyais pas grand-chose de la partie. Je pensais à Mathieu. J'espérais qu'il était rentré, que sa mère s'était occupée de lui, qu'il allait mieux… Après la première période, j'ai téléphoné chez lui, pour être sûr que tout allait bien. Sa mère a répondu dès le premier coup. Elle a crié : "Mathieu ? Mathieu, c'est toi ?" J'ai eu peur, tout à coup. Il était déjà huit heures. Ça n'avait pas d'allure que Mathieu ne soit pas encore rentré. J'ai dit : "Non, c'est Jérôme. Mathieu n'est pas là ? — Non. Il n'est pas avec toi ? — Non. — Mais il est où, alors ? Je croyais que vous étiez ensemble. Quand il est parti, cet après-midi, il m'a dit que vous alliez faire un tour de bicyclette… — Oui, mais… il est tombé. Il ne s'est rien cassé, mais il avait mal au genou, alors il a pris beaucoup de temps pour revenir. — Mais où est-il, en ce moment ? — Je ne sais pas. Quand je suis parti, il était

sur la piste cyclable qui longe la voie ferrée, pas trop loin du boulevard Saint-Laurent…
— Quoi ? Mais qu'est-ce qu'il faisait là ? Et toi, où es-tu ? — Je… je suis au Centre Molson. D'ailleurs, il faut que je vous laisse. Il y a quelqu'un qui attend pour téléphoner. Je vous rappellerai après la deuxième période. Mathieu va sûrement arriver bientôt. Ne vous inquiétez pas, il va sûrement arriver…"»

Jérôme émet un son étranglé, qui tient autant du rire nerveux que du sanglot réprimé.

« Il paraît que Théodore a fait un arrêt spectaculaire pendant la deuxième période, mais je n'ai rien vu. Je ne pensais qu'à une chose : rappeler chez Mathieu le plus vite possible. Mais quand j'ai téléphoné, entre la deuxième et la troisième période, je suis tombé sur la boîte vocale. Je me suis dit que Mathieu était revenu et que Marie l'avait amené à l'urgence. Mathieu disait qu'elle était pas mal mère poule. Je suis retourné dans les estrades, j'ai essayé de m'intéresser à la troisième période. J'ai même applaudi avec tout le monde, à la fin : les Canadiens ont gagné 5-2. Et puis… Et puis, quand nous sommes revenus à la maison, toutes les lumières étaient allumées. Il y avait un homme qui m'attendait. Un policier. »

Jérôme fait un signe en direction de Sabine.

« C'était ton père. Il voulait me poser des questions. Parce que Mathieu... Mathieu... »

Il respire un bon coup.

« Mathieu était mort. »

6

Dans le silence qui suit le récit de Jérôme, Sabine est particulièrement consciente du ronronnement du réfrigérateur, un ronronnement parfois entrecoupé de glougloutements, de soupirs et de vibrations. Dehors, malgré la porte et les fenêtres fermées, elle entend un chien qui aboie, un enfant qui crie, un drap qui claque au vent sur la corde à linge du voisin. Enfin, plus près d'elle, la respiration oppressée de Jérôme, qui triture une page du journal ouvert devant lui.

Machinalement, l'adolescente entreprend de débarrasser la table. Le lait, la margarine et les confitures dans le réfrigérateur, le beurre d'arachide et les céréales dans la dépense, les assiettes et les verres sales dans l'évier… Ils laveront tout ça plus tard.

Sabine tente d'imaginer Mathieu, seul dans le noir. Il a dû avoir mal, oui, mais surtout tellement peur. A-t-il compris qu'il était en train de mourir ? A-t-il pensé à sa mère, qui l'attendait à la maison ? A-t-il pensé à Andrew, à Julie-Anne, au maniaque au poison ?

Quand elle songe au maniaque au poison, Sabine sent une rage froide l'envahir. Il faut arrêter les agissements de ce fou furieux. Il faut l'empêcher de tuer d'autres enfants, d'autres Mathieu, d'autres Andrew, d'autres Julie-Anne. Mais par où commencer ?

« Je ne sais pas ce que vous en pensez, dit-elle à haute voix, mais il me semble qu'on devrait commencer par reconstituer les faits et gestes de Mathieu dans les heures qui ont précédé sa mort. D'abord, on va… »

Xavier et Jérôme l'interrompent en même temps.

« Attends un peu… », dit Xavier.

« À quoi ça va servir ? » demande Jérôme.

Puis ils se taisent tous les deux.

Sabine les dévisage à tour de rôle.

« À quoi ça va servir ? répète-t-elle lentement. Ça va servir à notre enquête, voyons ! »

Xavier sent son ventre se nouer.

« Ah non ! lance-t-il d'une voix sèche. Pas encore une enquête ! Celle qu'on a faite sur mon oncle, il y a trois ans, ne t'a donc pas suffi ? C'est toi-même qui disais que ça n'avait rien d'excitant, les enquêtes. Attendre, attendre et encore attendre : ça te rappelle quelque chose ? »

Sabine hausse les épaules d'un air exaspéré.

« Mais ça n'a rien à voir ! Cette fois, il y a *vraiment* matière à enquête. Et nous sommes les mieux placés pour la mener, cette enquête. Mon père est chargé de résoudre l'énigme ; nous sommes dans le quartier où les trois meurtres ont été commis ; Jérôme et toi, vous connaissiez une des victimes. Et puis… »

Sabine prend une grande respiration avant de poursuivre, avec un air de défi.

« Et puis, nous avons l'âge idéal pour attirer le meurtrier et le démasquer !

— Quoi ??? s'exclament Xavier et Jérôme d'une seule voix.

— Bien sûr, nous allons d'abord essayer de découvrir le coupable autrement mais, s'il le faut vraiment, nous pourrions lui tendre un piège. »

Les garçons restent silencieux un moment. Jérôme se dit qu'elle est folle et que ça ne sert à rien de discuter avec une folle. Xavier, lui, songe qu'il n'a jamais réusssi à faire changer d'idée à Sabine quand celle-ci avait quelque chose en tête. L'expression « têtue comme une mule » a dû être inventée exprès pour elle. Et elle semble totalement ignorer ce que signifie le mot « peur ».

« Je ne tiens pas du tout à servir d'appât à un assassin, finit-il par répondre d'une voix qu'il s'efforce de rendre ironique.

— Et Mathieu ? Tu as pensé à Mathieu ? Toi et Jérôme, vous étiez avec lui quelques heures avant sa mort. Vous avez peut-être vu l'assassin… Vous connaissez peut-être des choses importantes sans vous en rendre compte… Vous possédez peut-être des indices qui permettraient de découvrir le meurtrier de votre ami et…

— C'est à la police de s'occuper de ça ! » l'interrompt Xavier d'une voix brusque.

Sabine secoue la tête avec énergie.

« Je ne veux pas qu'on remplace la police, voyons ! Je veux juste aider mon père ! »

Xavier doute fort que Pierre Ross apprécierait cette aide. Il revoit le détective, la veille, quand celui-ci lui a demandé d'empêcher sa fille de faire des bêtises…

À ce moment, Jérôme prend la parole.

« De toute façon, ça ne te regarde pas, cette histoire-là, dit-il à Sabine. Tu ne connaissais même pas Mathieu… »

Sabine se tourne vers lui.

« Comment ça, ça ne me regarde pas ? dit-elle avec feu. Ça me regarde, ça vous regarde, ça regarde tout le monde ! Ça nous regarde parce que nous sommes vivants, tandis que Mathieu, Julie-Anne et Andrew sont morts ! »

Elle respire profondément, puis continue d'une voix plus calme :

« Je ne connaissais pas Mathieu, c'est vrai. Je ne connaissais pas non plus Andrew ni Julie-Anne. Mais je veux quand même savoir ce qui leur est arrivé. Je veux que le coupable soit puni et qu'il ne puisse plus tuer personne. Je ne comprends pas comment vous pouvez rester assis sans rien faire alors que votre ami vient de se faire assassiner. *Votre ami.* Vous ne voulez pas savoir qui l'a tué ?

— On veut le savoir, c'est sûr, mais…

— Il n'y a pas de "mais" ! jette Sabine avec colère. Tant que le maniaque au poison ne sera pas identifié, tout le monde est en danger. Tout le monde ! Nous trois, n'importe qui de nos amis ou des jeunes qui habitent le quartier… Alors, je le répète : ça me regarde, ça vous regarde, ça regarde tout le monde, cette histoire ! »

Elle fixe Jérôme droit dans les yeux.

« Tout à l'heure, quand tu as commencé à parler de ce qui s'est passé hier soir, tu as dit que c'était ta faute. Tu te sens coupable de tout : d'avoir entraîné Mathieu dans le cimetière, de l'avoir abandonné dans le noir, de ne pas avoir appelé sa mère avant…

— C'est vrai, souffle Jérôme.

— Mais ça donne quoi, de te sentir coupable ? lance Sabine avec passion. Rien du tout ! Même si tu brailles dans ton coin jusqu'à la fin des temps, ça ne ramènera pas Mathieu, et ça n'empêchera personne d'autre de mourir… »

Jérôme grimace. Sabine a peut-être raison, mais il déteste qu'elle lui fasse la morale de cette façon. Et il aimerait qu'elle cesse de le fixer ainsi de ses yeux très bleus et très furieux.

« Et alors, rétorque-t-il avec humeur, tu voudrais que je fasse quoi ? »

Sabine prend une grande respiration.

« Je voudrais que tu fasses quelque chose pour Mathieu, dit-elle. Ou plutôt que tous les trois – Xavier, toi et moi –, on fasse quelque chose pour lui, et aussi pour Julie-Anne, pour Andrew, pour tous ceux et celles qui risquent encore de mourir si l'assassin n'est pas démasqué rapidement. Ensemble, on a une chance de trouver le coupable. Ce serait criminel de ne rien faire. »

Sabine est convaincante, il faut lui donner ça. Comment Jérôme et Xavier pourraient-ils lui résister ? Xavier a bien une pensée pour la promesse qu'il a faite à Pierre Ross, mais il la chasse aussitôt. Ils ne feront rien de dangereux, même Sabine est d'accord là-dessus. Ils vont juste essayer d'aider le détective…

Les deux garçons échangent un regard. Jérôme hoche la tête en se mordant les lèvres. Xavier hausse les épaules d'un air résigné.

« Bon, d'accord, dit-il à Sabine. On va mener cette enquête avec toi… »

*

Pendant plus d'une heure, les trois jeunes discutent de leur plan d'attaque.

Xavier a déniché un gros carnet, dans lequel Sabine note leurs idées, leurs questions et leurs hypothèses, réparties en trois grandes catégories : l'assassin, les victimes, le poison.

L'ASSASSIN. Qui est-il ? Pourquoi a-t-il décidé de tuer des enfants ? Pourquoi ces enfants-là en particulier ? Pourquoi dans le quartier du Plateau Mont-Royal ? Pourquoi a-t-il utilisé de l'hépacourine ?

LES VICTIMES. Andrew, Julie-Anne et Mathieu connaissaient-ils l'assassin ? Ont-ils eu un contact direct avec lui ? Y a-t-il des points communs entre eux ?

LE POISON. D'où provient l'hépacourine ? Et comment l'assassin l'a-t-il fait avaler à ses victimes ?

Les questions viennent dans le désordre, les idées et les hypothèses aussi. Par moments, les enquêteurs ne savent plus dans quelle catégorie inscrire leurs questions et leurs hypothèses. Bientôt, le carnet de Sabine est rempli de flèches, de ratures, de mots encerclés ou soulignés à gros traits.

« Peut-être qu'il a choisi le Plateau parce qu'il habite ou qu'il travaille ici…, suggère Jérôme.

— … ou, au contraire, parce que c'est loin de chez lui ou de son travail ! riposte Xavier. Moi, si je voulais faire un mauvais coup, il me semble que j'irais le faire le plus loin possible, pour être sûr de ne pas être soupçonné. »

Sabine mordille le bout de son crayon.

« Autrement dit, conclut-elle, on ne peut pas déduire grand-chose de l'endroit où il a choisi ses victimes. Par contre, on peut essayer de trouver pourquoi il a choisi ces victimes-là. Est-ce qu'il les connaissait ? Si oui, ou s'il connaissait leurs parents, il s'agit peut-être d'une vengeance. Peut-être que les parents des victimes lui ont déjà causé du tort. Peut-être même qu'ils ont déjà causé du tort à ses enfants à lui…

— Aux enfants de l'assassin ? intervient Xavier. Qu'est-ce qui te dit qu'il a des enfants ?

— Rien. Mais on n'a aucune raison de supposer qu'il n'en a pas ! »

Sabine s'enflamme en développant son idée.

« Peut-être que les enfants de l'assassin sont morts dans un accident d'auto, et quelqu'un s'est rendu compte que c'était la faute d'un mécanicien qui avait mal installé les freins. Et peut-être que ce mécanicien-là était le père d'Andrew, ou de Julie-Anne, ou de Mathieu...

— Mathieu n'a pas de père, l'interrompt Xavier. Il est parti dès qu'il a appris que Marie était enceinte. »

Sabine agite la main pour signifier que cela n'a aucune importance.

« Ou peut-être que, pendant une opération, la mère de Mathieu a mal calculé la dose d'anesthésique dont avait besoin la fille de l'assassin et que celle-ci est morte...

— Marie enseigne la musique dans une école primaire et, le soir, elle donne des cours de piano chez elle, précise Xavier. Je vois mal ce qu'elle ferait dans une salle d'opération.

— C'est juste un exemple, voyons ! Peut-être que...

— Peut-être que la belle-sœur du majordome en voulait au colonel parce que le chien de celui-ci marchait toujours sur ses plates-bandes, suggère Jérôme d'un ton moqueur. Alors, elle a voulu tuer le colonel. Sauf qu'elle s'est trompée et qu'elle a tué le frère jumeau du colonel, ce qui a d'ailleurs rendu service au colonel, qui détestait son frère parce que celui-ci était le chouchou de leur mère... » Il esquisse un petit sourire en regardant Sabine. « J'ai l'impression que tu as lu trop de livres d'Agatha Christie... »

Sabine, abasourdie, regarde Jérôme avec des yeux ronds. Elle ne s'attendait pas à ce genre de commentaire de la part d'un garçon qu'elle a vite classé – trop vite, de toute évidence – comme lourdaud et peu subtil. Il va falloir qu'elle révise l'opinion qu'elle a de lui...

« Bon, admet-elle, mes hypothèses sont peut-être tirées par les cheveux. Pas autant que ton histoire de colonel et de majordome, mais... » Elle hausse les épaules. « Mais je pense quand même que, parmi toutes les hypothèses, il ne faut pas écarter complètement l'idée d'une vengeance.

— En fait, pour l'instant, il ne faut rien écarter complètement, précise Xavier.

— Sauf le majordome, dit Jérôme. Le dernier est mort en 1918. »

Sabine lève les yeux au ciel, mais elle ne peut s'empêcher de sourire en inscrivant la vengeance comme motif possible.

L'assassin connaissait-il les victimes ? Les victimes connaissaient-elles l'assassin ? Avec un frisson, Xavier songe à ce que lui a dit Pierre Ross, la veille, en le ramenant de l'Oratoire.

« Le père de Sabine pense que si Mathieu et les autres ont avalé ce que l'assassin leur a donné, dit-il, c'est peut-être parce qu'ils connaissaient l'assassin et qu'ils ne se méfiaient pas de lui... »

Les deux autres le dévisagent un moment en silence.

« Ce ne serait pas nécessairement par vengeance, dit enfin Jérôme d'une voix mal assurée. Ce serait juste une question d'accès, d'occasion... Ça pourrait être un prof, le père d'un ami...

— ... l'infirmière de l'école, un instructeur de sport..., ajoute Sabine.

— Une infirmière ? répète Jérôme d'un air incrédule. Il me semble... il me semble que l'assassin doit être un homme.

— Et pourquoi ? demande Sabine en haussant les sourcils. Les hommes ont-ils le monopole des meurtres ? De toute façon, j'ai déjà vu des statistiques, dans une revue, qui montrent que les empoisonnements sont plus souvent commis par des femmes que par des hommes. Les hommes, par contre, utilisent plus souvent des couteaux ou des armes à feu.

— Mais…, reprend Jérôme.

— Et puis, une infirmière, ou une pharmacienne, ou une médecin, aurait facilement accès à des anticoagulants, l'interrompt Sabine.

— Pas plus qu'un infirmier, un pharmacien ou un médecin, intervient Xavier. C'est bien beau, les statistiques, mais ça ne garantit quand même pas que l'assassin est une femme.

— Non, bien sûr, admet Sabine. Au fait, si c'était une femme, est-ce qu'il faudrait dire l'assassin ou l'assassine ? »

Les garçons soupirent. C'est bien le temps de se poser des questions de grammaire !

« On dirait la meurtrière, tranche Jérôme. C'est plus simple. Mais, pour notre enquête, il me semble qu'on peut continuer à parler de l'assassin et du maniaque… tout en gardant à l'esprit qu'il peut aussi s'agir d'une femme », ajoute-t-il très vite avant que Sabine puisse protester.

Celle-ci mordille un instant son crayon.

« Bon, d'accord, dit-elle après un moment. De toute façon, l'essentiel, ce n'est pas de savoir s'il faut parler au masculin ou au féminin, c'est de savoir si les victimes connaissaient l'assassin. Si oui, de qui pourrait-il s'agir ? D'après les journaux, Andrew, Julie-Anne et Mathieu n'avaient rien en commun. Ils n'avaient pas le même âge, ils ne fréquentaient pas la même école, ils ne se connaissaient pas...

— ... mais ils habitaient le même quartier et ils avaient entre sept et douze ans, intervient Xavier. Ce n'est quand même pas rien !

— Et puis, Julie-Anne et Mathieu fréquentaient le Centre Immaculée-Conception, ajoute Jérôme. Julie-Anne suivait des cours de gymnastique ; Mathieu, des cours de soccer. On sait qu'Andrew jouait au hockey à Saint-Stanislas, mais il pratiquait peut-être aussi d'autres sports. Il faisait peut-être du judo, ou de l'escrime, ou de la natation, au Centre Immaculée-Conception... Et qui nous dit que le prof de gymnastique de Julie-Anne n'est pas aussi instructeur de hockey à Saint-Stanislas ? Ou qu'un de nos entraîneurs de soccer n'est pas le voisin d'Andrew ? Ou que la mère d'un joueur de l'équipe d'Andrew n'enseignait pas à Julie-Anne tout en étant une voisine de Mathieu ? Ou que… »

Jérôme se tait, découragé par l'ampleur de la tâche. Ils ne peuvent quand même pas passer la vie de chaque victime au peigne fin et noter toutes les personnes qu'elles ont pu déjà croiser.

« Je ne voudrais pas t'insulter, dit Xavier, mais ton hypothèse me rappelle étrangement l'histoire du majordome et du colonel… »

Jérôme rougit, un peu vexé. Sabine, elle, réfléchit en fronçant les sourcils.

« De toute façon, dit-elle, il n'est pas du tout certain que l'assassin connaissait les victimes, et vice-versa. Il frappe probablement au hasard. Dans ce cas, le plus important serait de découvrir où, quand et comment Mathieu et les autres ont eu accès à l'hépacourine. À partir de là, ça va être plus facile de remonter jusqu'à l'assassin. »

Xavier doute qu'il soit « facile » de remonter jusqu'à l'assassin, mais le raisonnement de Sabine lui paraît logique.

« Étant donné que vous connaissiez Mathieu et que vous étiez avec lui dans les heures qui ont précédé sa mort, on va commencer par lui. Et puis, comme il est mort avant-hier, la piste est encore fraîche. Mon père dit toujours que plus le temps passe, plus il est difficile de résoudre un crime. »

Xavier grimace. Il n'aime pas la façon dont Sabine parle de la mort de Mathieu. La piste est encore fraîche, dit-elle. Comme si elle traquait un animal. Mais Mathieu n'est pas un animal. C'était son ami, et il est mort.

« Où, quand et comment Mathieu a-t-il eu accès à l'anticoagulant ? reprend Sabine. Je propose de reconstituer ses faits et gestes pendant la journée de samedi. On va aller partout où il est allé, observer…

— Attends, l'interrompt Jérôme. On n'a pas besoin de reconstituer *toute* la journée. Quand ton père m'a interrogé, il voulait savoir tout ce que Mathieu avait fait entre onze heures du matin et deux heures de l'après-midi, mais il ne semblait absolument pas intéressé par ce qui s'était passé avant et après…

— C'est vrai, intervient Xavier. Les questions qu'il m'a posées portaient aussi sur cette période-là. »

Tous trois restent silencieux un moment, le temps de faire un peu de calcul mental.

« OK, reprend Xavier. Partons du moment où Mathieu est tombé de bicyclette et où il a manifesté des symptômes d'hémorragie. Il était… quoi ? cinq heures de l'après-midi ? demande-t-il à Jérôme.

— À peu près, confirme celui-ci.

— Alors, si le père de Sabine s'intéresse à la période entre onze heures et deux heures, ça veut dire que l'anticoagulant commence à agir de trois à six heures après avoir été absorbé.

— En fait, il a mentionné que l'effet de l'anticoagulant était "rapide et bref", précise Jérôme.

— Rapide et bref », répète Xavier d'un air songeur avant de se lever pour aller chercher ses coupures de journaux.

Il revient deux minutes plus tard, les journaux à la main.

« Si, dans le cas de Mathieu, l'hépacourine a agi au bout de trois à six heures, ça a dû être la même chose pour Andrew et Julie-Anne, explique-t-il. À quelle heure ont-ils montré des signes d'hémorragie, ces deux-là ? »

Il ne lui faut guère de temps pour trouver qu'Andrew s'est effondré pendant la deuxième période d'une partie de hockey qui avait commencé à dix-huit heures.

« Autrement dit, aux alentours de sept heures, calcule Jérôme.

— Ce qui veut dire qu'il a avalé l'anticoagulant entre une heure et quatre heures de l'après-midi », conclut Xavier.

Quant à Julie-Anne, elle a montré les premiers malaises dans l'après-midi, aux alentours de quinze heures.

« Dans son cas, la période critique se situe donc à peu près entre neuf heures du matin et midi », conclut Xavier.

Pour chacune des victimes, Sabine note ce que Xavier a appelé la période critique. Elle lève ensuite les yeux et regarde les garçons l'un après l'autre.

« Commençons par Mathieu... Où était-il samedi matin à onze heures ? »

7

Le soleil brille pour la quatrième journée consécutive, et, malgré un petit vent frisquet, on pourrait croire que le printemps est définitivement installé.

Quelle journée magnifique ! songe Sabine en se dirigeant avec Xavier et Jérôme vers le Centre Immaculée-Conception, situé à une demi-douzaine de rues de chez Xavier. C'est là que se trouvait Mathieu deux jours plus tôt, à onze heures, pour son cours de soccer.

Sabine adore ce quartier, qu'elle trouve plus animé et plus intéressant que la banlieue où elle vit avec sa mère. Aussi est-elle très attentive à tout ce qu'elle voit. Les gens, bien sûr, mais aussi les voitures, les maisons, les commerces qu'ils croisent en route. Il y a une quincaillerie à quelques minutes de chez Xavier, au coin des avenues du Mont-Royal et des Érables. Mentalement, l'adolescente se promet d'aller voir si on y trouve de la mort-aux-rats… Il y a aussi une pharmacie, au coin de la rue de Bordeaux, et un petit dépanneur devant lequel s'étalent divers journaux.

Soudain, Sabine se fige, les yeux rivés sur la première page du *Journal de Montréal*, qui présente la photo un peu floue d'un garçon à l'air timide, surmontée d'un titre en grosses lettres rouges :

LE MANIAQUE AU POISON FRAPPE ENCORE ! ! !

Au bas de la photo, deux courtes lignes :

```
Mathieu Lozier, 12 ans, succombe
à des hémorragies massives!
```

```
Détails pages 2 et 3
```

À son grand embarras, Sabine sent les larmes lui monter aux yeux. Elle ne va quand même pas se mettre à brailler en pleine rue !

« Ça va ? demande Xavier. Tu as l'air bizarre… »

D'un signe, Sabine le rassure. Elle cligne des yeux, avale sa salive, respire profondément… Son envie de pleurer se dissipe. Ouf…

Elle continue à fixer le journal.

« Ce n'est pas comme ça que je l'imaginais… »

C'est une remarque idiote, elle le sait. La façon dont elle imaginait Mathieu ne change rien à rien. Mais comment expliquer ce qu'elle ressent ? D'un seul coup, Mathieu a cessé d'être seulement un nom, une victime, un cas. Il est devenu réel. Un garçon à l'air à la fois timide et sérieux, au regard intense, avec une mèche de cheveux qui lui barre le front et des lunettes un peu croches. Et ce garçon enfin réel est mort depuis deux jours… Jusqu'à maintenant, Sabine éprouvait surtout de la colère quand elle pensait aux empoisonnements. À présent, elle est aussi envahie par une grande tristesse.

« On l'achète ? demande Jérôme en désignant le journal.

— Oui. »

Ils sont à quelques pas du parc des Indiens, le fameux « parc de la Mort ». Ils se dirigent vers un banc, sur lequel ils s'assoient tous les trois, Xavier au milieu, le journal ouvert sur les genoux. Pendant quelques minutes, ils lisent en silence les deux pages consacrées à Mathieu. Des photos parsèment les deux pages. La mère de Mathieu, le visage défait. L'endroit où Mathieu a été retrouvé, délimité par de longs rubans et gardé par des

policiers en uniforme : la bicyclette cou-
chée sur le côté, un talus en bordure de la
piste cyclable, un bout de clôture de
broche entre le talus et la voie ferrée...
Pierre Ross, le lieutenant-détective chargé
de l'enquête. Mathieu, à son dernier anniversaire. Mathieu, parmi les Petits Chanteurs du Mont-Royal...

Xavier est le premier à reprendre la
parole.

« C'est bizarre, commence-t-il d'une
voix hésitante. Ce qui est écrit là est vrai,
mais... mais on dirait que ça ne parle pas
de Mathieu et de Marie. »

Jérôme approuve d'un hochement de
tête. Lui aussi a ressenti un malaise en
lisant les articles, qui insistent lourdement
sur le fait que Marie était monoparentale,
qu'elle avait été abandonnée par le père
de Mathieu pendant sa grossesse et que
Mathieu constituait sa seule et unique
famille : elle-même était orpheline et avait
connu plusieurs foyers avant d'être adop-
tée par un couple d'âge mûr mort depuis
longtemps.

Les articles insistent aussi sur le fait que
la petite famille ne roulait pas sur l'or.

Marie Lozier devait travailler dur pour subvenir à ses besoins et à ceux de son fils. Pour arrondir ses fins de mois, elle donnait des cours de piano dans son modeste logement. Celui-ci sera bien triste sans Mathieu…

« Ça donne l'impression que leur vie était vraiment pénible, dit Jérôme avec une grimace. Mais ce n'est pas ça du tout… »

Quand il pense à Marie et à Mathieu, ce qui lui vient, ce sont des images joyeuses, pleines de musique et de soleil. Leur « modeste logement » est clair et accueillant. Marie est souriante, chaleureuse, vivante… Rien à voir avec la femme misérable – mais tellement courageuse ! – décrite dans le journal.

Et, tout en poursuivant leur route jusqu'au Centre Immaculée-Conception, Jérôme et Xavier tentent de donner à Sabine une image plus juste de la réalité. Ils parlent du sourire de Marie (« elle est toujours de bonne humeur »), de l'appartement rempli de livres, de plantes et d'instruments de musique (« il y a aussi les vélos, qui sont un peu dans le chemin, et les chats, qui surgissent tout le temps où on ne les attend pas »), des talents de

Marie («elle est géniale pour réparer des crevaisons ou pour faire du pop-corn») et de ses défauts («à part le pop-corn, elle n'est pas très douée pour la cuisine»)... Ils parlent surtout de la complicité et de la tendresse qui unissaient Marie et Mathieu («on sentait qu'ils s'aimaient, qu'ils étaient bien ensemble»).

Sabine écoute les garçons chanter les louanges de Marie Lozier et elle se demande comment cette femme va survivre à la mort de son fils. Rien qu'à y penser, elle a l'impression d'étouffer.

*

Une fois au Centre Immaculée-Conception, Sabine écarte délibérément les pensées et les émotions qu'a fait naître le *Journal de Montréal*. Pour mener son enquête, elle a besoin de toutes ses facultés d'observation, de concentration et de raisonnement.

En arrivant, elle insiste pour se rendre jusqu'au gymnase où ont lieu les cours de soccer ainsi qu'à la cafétéria, où elle veut savoir à quelle table se sont assis les garçons, deux jours plus tôt, et ce que Mathieu a mangé.

« Une barre de chocolat Aero et un
7-Up, répond Xavier.

— Il n'a rien pris d'autre ? demande
Sabine. Personne ne lui a donné quoi que
ce soit ?

— Non, répondent les garçons d'une
seule voix.

— Et dans le gymnase, pendant les
cours, les parties ou les pauses, personne
n'a distribué de bonbons ? de bouteilles
d'eau ? de pastilles pour la gorge ? de
gomme ? »

Les garçons réfléchissent un moment.

« Pas à ma connaissance, finit par dire
Xavier. Mais je ne passais quand même
pas tout mon temps à observer Mathieu.
Si quelqu'un lui a donné une pastille ou
de la gomme, je ne m'en suis pas nécessairement rendu compte.

— Moi non plus, ajoute Jérôme. Évidemment, si on avait su ce qui allait arriver... »

Évidemment, se dit Sabine, si on savait
toujours ce qui va arriver, il y a des tas de
choses qu'on ferait autrement ou auxquelles on prêterait plus d'attention...

« Et à une heure et demie, reprend-elle,
quand vous avez quitté le Centre après la
deuxième séance de soccer, Mathieu n'est

pas repassé par la cafétéria ? Il n'a rien acheté à manger ? Personne ne l'a approché ?

— Non, dit Xavier pendant que Jérôme pousse un soupir d'impatience. Tu sais, ajoute-t-il, tu n'es pas obligée de nous demander aux trente secondes si Mathieu a mangé quelque chose ou si quelqu'un lui a donné des bonbons, des pastilles ou du chocolat... Si on pense à quelque chose, on va le dire, ne t'inquiète pas ! »

Sabine hausse les épaules d'un air légèrement dépité. Ce n'est pas qu'elle ne fasse pas confiance aux garçons, mais...

« OK, dit-elle d'une voix brusque. Poursuivons. Si j'ai bien compris, vous avez quitté le Centre tous les trois ensemble et vous avez marché jusqu'au coin de Mont-Royal et Papineau...

— Oui. C'est là que Mathieu a proposé qu'on fasse un tour de vélo. »

C'est là aussi que les garçons se sont séparés. Xavier est rentré chez lui pendant que Mathieu et Jérôme continuaient leur route sur Mont-Royal vers l'ouest.

« Et, avant que tu poses la question, dit Jérôme en regardant Sabine, oui, Mathieu a fait des arrêts en cours de route.

Il collectionne… » Jérôme s'interrompt, avale sa salive. « Il collectionnait la revue *Vie sauvage* et il voulait acheter le dernier numéro. Alors, il s'est arrêté dans un dépanneur, puis à la pharmacie et finalement à la Maison de la presse internationale, où il a fini par trouver sa revue. C'était un numéro sur les orangs-outans. »

Bien sûr, Sabine exige d'aller dans chacun de ces endroits, où elle prend quelques minutes pour examiner les lieux et noter des choses dans son carnet.

« Qu'est-ce que tu espères trouver ? demande Jérôme d'une voix ironique. Un écriteau qui dirait "Direction poison" ? Ou le maniaque lui-même, en train d'offrir des bonbons empoisonnés aux enfants ? »

Sans répondre, Sabine hausse les épaules. Plantée devant la Maison de la presse, elle observe la façade avec attention.

« Es-tu entré avec Mathieu dans ces trois endroits ? demande-t-elle à Jérôme.

— Non.

— Et, pendant qu'il était à l'intérieur, l'as-tu toujours suivi des yeux ? As-tu vu tout ce qu'il a fait, tout ce qu'il a pu toucher ?

— Non. Pourquoi je l'aurais suivi des yeux ? Je l'attendais dehors, c'est tout. Je regardais les passants, les autos, les vitrines…

— À ta connaissance, à part chercher sa revue, a-t-il fait autre chose ? Il aurait pu acheter quelque chose à manger… »

Jérôme secoue la tête.

« Ton père aussi m'a demandé ça, dit-il. Même qu'il était très insistant. Mais je ne crois pas. Mathieu ne restait pas à l'intérieur assez longtemps pour ça. Il prenait juste le temps d'entrer et de sortir. Sauf ici, quand il a enfin eu sa revue et qu'il a dû la payer, je ne l'ai pas vu attendre à une caisse. Et, en sortant des magasins, il n'avait rien dans les mains…

— Et dans la bouche ? L'as-tu vu mâcher, mastiquer, avaler…? »

Jérôme se gratte la tête d'un air concentré.

« Je ne crois pas, finit-il par dire. Mais je ne pourrais pas en jurer… »

Sourcils froncés, Sabine réfléchit en tapotant son carnet du bout de son crayon.

« Et après la Maison de la presse ? demande-t-elle. Où êtes-vous allés ?

— On est rentrés chacun chez nous pour aller chercher nos vélos.

— Il était quelle heure ?

— À peu près deux heures.

— La fin de la période critique… »

Sabine mordille le bout de son crayon.

« Entre ici et chez lui, puis entre chez lui et le parc La Fontaine, est-ce que Mathieu a pu manger quelque chose ? Est-ce que…

— Évidemment qu'il a pu manger quelque chose ! lance Jérôme d'un air excédé. Mais comment veux-tu que je le sache ? Je n'étais pas là !

— OK, OK, ne t'énerve pas ! dit Sabine. Je te présentais ça plus comme une supposition que comme une question…

— Si tu savais comme j'en ai assez, des questions ! D'abord ton père. Maintenant toi. Sans compter toutes celles que je me pose moi aussi… »

Jérôme a l'air plus malheureux que fâché, et Sabine n'insiste pas.

« On pourrait refaire le trajet que Mathieu a suivi à partir d'ici, suggère-t-elle. Ça peut nous donner des idées… »

Mathieu habitait rue de Brébeuf, un peu à l'ouest de la Maison de la presse, entre Mont-Royal et Marie-Anne. Les trois amis poursuivent donc leur route sur

Mont-Royal. Sabine note qu'ils passent devant un magasin d'aliments naturels, une confiserie, une papeterie, une pizzeria...

« Mathieu n'est entré nulle part, précise Jérôme. Nous nous sommes séparés ici, ajoute-t-il quand ils arrivent au coin de la rue de Brébeuf. Mathieu a tourné à gauche pour rentrer chez lui. Moi, j'ai continué jusqu'à la rue Saint-André, un peu plus loin. C'est là que j'habite. »

D'un pas décidé, Sabine tourne à gauche. La rue est bordée de maisons typiques du quartier. Des maisons de trois étages, collées les unes aux autres, aux façades ornées de longs escaliers. De gros arbres s'élèvent à intervalles réguliers au milieu du trottoir. C'est une rue calme, agréable, dont la tranquillité contraste agréablement avec l'agitation de l'avenue du Mont-Royal. Il y a peu de commerces, dans cette rue. Un réparateur de vélos, une boulangerie...

« Mathieu habitait ici, au rez-de-chaussée », indique Xavier quand ils sont pratiquement rendus au coin de Marie-Anne.

Sabine s'arrête et observe longuement la façade. Puis, elle tourne le dos à la maison et observe les alentours.

Mal à l'aise, Xavier et Jérôme échangent un regard. Ils sont venus si souvent ici, ils ont si souvent sonné à cette porte dont la fenêtre s'orne d'un dessin de soleil... Devraient-ils sonner et parler à Marie ? Ils ne sauraient pas quoi lui dire...

« Écoute, finit par lancer Xavier, on ne va pas rester ici toute la journée ! Il n'y a pas grand-chose à voir. Il vaudrait mieux continuer jusqu'au parc, comme tu disais. On va peut-être... »

Mais Sabine l'interrompt brutalement.

« Regardez ! dit-elle en tendant le bras vers une vitrine sale et barbouillée, de l'autre côté de la rue. Un magasin d'extermination ! »

8

Sabine a les yeux brillants d'excitation.

« Un exterminateur, juste à côté de chez Mathieu ! Ça ne peut pas être un hasard !

— Il n'est pas à côté, mais en diagonale », fait remarquer Jérôme.

Sabine a un geste d'agacement.

« À côté, en face, en diagonale, c'est du pareil au même. Ce qui importe, c'est qu'il y a là une source potentielle de mort-aux-rats... ou d'autres poisons. Allez, venez, on va interroger l'exterminateur.

— Mais... »

Sabine n'écoute plus. Sans même vérifier s'il vient des autos, elle traverse la rue en courant.

Avec un soupir, Xavier et Jérôme se résignent à la suivre. Ils ne peuvent quand même pas la laisser entrer là toute seule. De toute façon, la vitrine est tellement sale, la porte tellement déglinguée et la peinture tellement écaillée que le commerce est sans doute fermé depuis longtemps – ce qui expliquerait qu'ils ne l'aient jamais remarqué auparavant.

Gling !

En s'ouvrant, la porte fait tinter une sonnette. L'endroit est petit, sombre et poussiéreux. Avant d'entrer, même Sabine marque une certaine hésitation.

« Alors, vous entrez, oui ou non ? demande une voix qui leur semble sinistre. Vous êtes ici pour de la mort-aux-rats, je suppose. C'est pour emporter ou pour consommer sur place ? »

Les jeunes enquêteurs se figent, le cœur dans la gorge. Sans doute devraient-ils rebrousser chemin…

« Ne faites pas cette tête-là, voyons ! reprend la voix avec un rire chevrotant. C'est une blague… »

Le propriétaire de la voix apparaît enfin devant eux. C'est un homme très vieux et très ratatiné qu'on imaginerait plus en train de somnoler dans une berceuse qu'en train d'exterminer des rats ou d'autres bestioles plus dégoûtantes les unes que les autres.

Les trois amis se sentent un peu rassurés. Le bonhomme est tellement vieux et tellement fragile qu'il ne peut pas être très dangereux. À trois, ils réussiront sûrement à se défendre si le centenaire les attaque.

Sabine est la première à reprendre ses esprits.

« Excusez-nous, monsieur, mais nous avons des souris à la maison, et nous aimerions acheter de la mort-aux-rats. Beaucoup de mort-aux-rats. »

Le vieillard secoue la tête en faisant ttut-ttut.

« Ce n'est pas beau de mentir à un homme de mon âge, dit-il enfin d'une voix triste. Personne n'entre jamais dans mon magasin, et voilà que, depuis hier, tout le monde a des problèmes d'infestation de rats ou de souris. Vous trois, la police, les journalistes, la moitié des enfants du quartier... » Il soupire en secouant la tête de plus belle. « Non, je n'ai pas empoisonné le jeune Mathieu ni aucun des deux autres. Je ne sais pas qui a pu faire ça. Et ma réserve de mort-aux-rats n'a pas mystérieusement diminué depuis quelques mois. Mais je peux vous dire quelque chose, cependant... »

Il fait une petite pause et fixe le trio d'un œil sévère avant de poursuivre.

« Soyez prudents, les enfants. Je n'ai rien à voir avec les empoisonnements, alors vous n'avez rien à craindre de moi. Mais, si j'étais l'assassin, imaginez-vous vraiment que j'apprécierais votre visite ici ? Vous vous croyez très malins, vous vous pensez invulnérables, mais méfiez-vous... Méfiez-vous...

— Mais avez-vous une idée de... », commence Sabine.

Le vieil homme avance vers eux en agitant les mains.

« Dehors ! Allez, ouste, partez ! Et que je ne vous revoie plus dans les parages ! »

Sabine et ses amis ne se le font pas dire deux fois.

*

Victor Kratz regarde le trio s'éloigner.

Ils sont plutôt gentils, ces enfants, songe le vieil homme. Et la fille est mignonne. Elle ressemble à Nina au même âge, il y a si longtemps... Ce serait dommage qu'ils meurent.

*

« Il est fou, le bonhomme. Complètement crackpot ! »

Jérôme répète ces paroles deux fois, comme pour mieux se convaincre de la folie du vieillard et effacer le malaise qu'il a fait naître en lui. Mais sa voix tremble un peu, et sa respiration est beaucoup trop saccadée.

« Vous le croyez, vous, quand il dit qu'il est innocent ? » poursuit-il.

Les autres haussent les épaules. Comment savoir ? Si le vieux était coupable, il n'irait sûrement pas le crier sur les toits.

« En tout cas, ton père semble lui avoir rendu visite, dit Xavier à Sabine. Ça veut dire que ce n'était pas si fou que ça de penser qu'il pouvait avoir joué un rôle dans toute cette histoire. »

Sabine hoche la tête d'un air distrait. C'est sûr que ce n'était pas si fou que ça. Mais ce vieillard inquiétant n'est sans doute pas le seul détaillant de mort-aux-rats du quartier. Son magasin poussiéreux n'est sûrement pas le seul endroit où on peut trouver des anticoagulants – qu'ils soient destinés à tuer des rats ou à soigner des gens.

« Où est le parc La Fontaine à partir d'ici ? demande-t-elle aux garçons.

— Droit devant nous, répond Jérôme en tendant le bras vers le sud. Juste au bout de la rue. Mais je ne pense pas qu'on trouve grand-chose en route. À part la Maison des cyclistes, il n'y a pas un seul autre commerce d'ici au parc.

— Ça ne fait rien, dit Sabine. On va quand même se rendre jusque-là. Après, on va avoir besoin d'un annuaire du quartier. »

*

« Hôpitaux, compagnies d'extermination, pharmacies, quincailleries, cliniques, CLSC... », récite Sabine avant de croquer dans un biscuit aux brisures de chocolat et de vider un grand verre de lait. « Voyez-vous d'autres endroits où on pourrait trouver des anticoagulants ? »

Les trois jeunes sont chez Jérôme. Ils sont installés autour de la table de la cuisine, l'annuaire des Pages jaunes du quartier ouvert devant eux. Des sacs de biscuits, des boîtes de petits gâteaux et des verres de lait jonchent la table. En arrivant chez Jérôme, les amis se sont rendu compte qu'ils étaient affamés et ils ont pris le temps de confectionner et d'engloutir d'énormes sandwiches avant de se remettre à leur enquête tout en s'attaquant au dessert.

« Chez des vétérinaires ? » suggère Xavier, la bouche pleine.

Sabine ajoute « vétérinaires » à sa liste. La stratégie qu'elle expose aux garçons est simple :

« L'assassin a pris son hépacourine quelque part, dit-elle. Et il en a sûrement pris suffisamment pour que ça paraisse. On a juste à poser des questions dans des endroits où il y a des anticoagulants pour savoir si les stocks d'hépacourine sont normaux, s'il y a eu des disparitions, récemment, ou même des fraudes…

— Des fraudes ? répète Jérôme en fronçant les sourcils.

— Oui. Des trucs bizarres, illégaux… De fausses ordonnances d'anticoagulants, par exemple, ou un patient qui passe son temps à "perdre" ses médicaments… »

Sabine semble convaincue de la valeur de son raisonnement, mais les garçons sont sceptiques.

« Tu as vu le nombre de cliniques, pharmacies et quincailleries qu'il y a dans le quartier ? demande Jérôme d'un air découragé. On en a pour un an à interroger tout ce monde-là…

— Mais non, ça ne prendra pas un an, dit Sabine. Je suis sûre que…

— Ça ne prendra même pas cinq minutes, intervient Xavier, parce que personne ne va vouloir nous répondre. Je vous ferai remarquer qu'on n'est pas dans la police. On n'a pas de badge ni de carte d'identité qu'on peut brandir au visage des gens pour les obliger à collaborer.

— Et puis, ajoute Jérôme, il n'y a rien qui dit que les anticoagulants ont été pris dans le quartier. L'assassin s'approvisionne peut-être à l'usine où on les fabrique, ou dans un entrepôt, ou pendant leur transport d'un endroit à un autre, ou… »

Sabine, les mains sur les hanches, dévisage les garçons avec colère.

« Merci. Merci beaucoup pour vos encouragements et votre collaboration ! J'essaie de trouver des idées, et vous, tout ce que vous faites, c'est de les démolir !

— Nous aussi, on essaie de trouver des idées, lance Jérôme, mais tu prends toute la place ! »

Xavier grimace. C'est vrai que Sabine prend beaucoup de place. Elle a toujours pris beaucoup de place... mais ce n'est ni par égoïsme ni par méchanceté. Elle ne peut pas s'en empêcher, c'est tout. Depuis le temps que Xavier la connaît, il a appris à ne pas s'en formaliser. Mais Jérôme ne connaît Sabine que depuis quelques heures... et pas dans les circonstances les plus faciles.

« Écoutez », s'empresse de dire Xavier avant que la dispute entre Jérôme et Sabine ne s'envenime, « l'idée de Sabine est bonne, mais pas tellement réaliste. Comme dit Jérôme, on en aurait pour une éternité. Et on risque de se faire claquer la porte au nez à répétition. Mais on n'est pas obligés de visiter *toutes* les quincailleries, *toutes* les pharmacies et *toutes* les cliniques vétérinaires du quartier. On peut choisir les plus grosses ou celles qui sont situées près des endroits où vivaient les victimes, et poser des questions aux gens qui travaillent là. On va bien voir comment ils vont réagir. Si ça donne des résultats, tant mieux. Sinon, on essaiera autre chose… »

Les deux autres écoutent sa proposition en silence.

« Je suis d'accord, dit Sabine quand Xavier a fini de parler. Et je suis sûre que ça va donner quelque chose ! » ajoute-t-elle avec un regard du côté de Jérôme.

Celui-ci ne dit rien. Il se contente de hausser les épaules. Il ne croit pas à cette stratégie, mais il accepte la décision de la majorité. Il n'a pas tellement le choix.

*

Ils commencent par délimiter un quadrilatère à l'intérieur duquel ils vont travailler, et qui n'est pas négligeable : entre De Lorimier et Saint-Hubert dans un sens ; de Rachel à Laurier dans l'autre. Avec l'avenue du Mont-Royal, bordée de magasins, de restaurants et de boutiques, et quelques autres artères commerciales, le nombre d'endroits à vérifier reste considérable.

Finalement, après bien des discussions, des compromis, des ajouts et des retraits, leur liste comprend un CLSC, deux cliniques médicales, une clinique vétérinaire, deux quincailleries, trois pharmacies – dont deux appartenant à une grande chaîne et une petite pharmacie indépendante – et un exterminateur.

« Mais lui, on est déjà allés le voir, précise Sabine. On est donc plus avancés qu'on en a l'air…

— Au fait, intervient Xavier, il va falloir se grouiller si on veut avancer à quelque chose cet après-midi. Il est déjà deux heures… »

L'accueil que leur réserve la réceptionniste du CLSC est froid, pour ne pas dire glacial. Paulette Hurtubise ne se gêne pas pour leur dire qu'elle ne dérangera personne pour que de jeunes mal élevés posent des questions sur un sujet qui ne les regarde pas. Ils sont mieux de déguerpir sur-le-champ, sinon…

« Mal élevée toi-même, marmonne Sabine en tournant les talons. Chipie, pimbêche… Ça ne m'étonnerait pas que ce soit elle, l'assassine. Elle est laide, vieille et méchante. Elle déteste les jeunes et a décidé d'en débarrasser la terre entière ! »

Jérôme pouffe de rire.

« Tu as raison, dit-il. C'est sûrement elle, la meurtrière ! » Il prend une petite voix aiguë. « Ça ne peut être qu'elle, monsieur le juge : elle est laide, vieille et méchante. En plus, elle a eu le culot d'insulter la jeune, belle et gentille Sabine. Avez-vous vraiment besoin de preuves supplémentaires ? Je réclame la peine de mort, rien de moins ! »

Sabine lui tire la langue sans se donner la peine de répondre. Les garçons peuvent être tellement bébés, par moments !

Ils n'ont pas plus de succès à la clinique vétérinaire, à une des cliniques médicales et aux deux premières pharmacies auxquelles ils se présentent.

« Personne ne nous prend au sérieux ! gémit Sabine en sortant de la deuxième de ces pharmacies. Pourtant, on est certainement plus brillants, plus fiables et plus efficaces que bien des adultes !

— Oui, reconnaît Xavier. Mais je ne suis pas sûr que tu as servi notre cause en sortant ça comme argument au pharmacien... »

À la quincaillerie, le trio décide de modifier sa stratégie.

« Puisque personne ne veut nous répondre, on va se débrouiller tout seuls, déclare Sabine. On n'a qu'à trouver la section des insecticides, pesticides et autres cides, et à regarder nous-mêmes quels produits contiennent des anticoagulants et de quelle quantité on aurait besoin pour tuer quelqu'un… »

Mais, une fois devant les produits, les trois jeunes sont bien embêtés : qu'est-ce que c'est que de la warfarine 0,025 % ? Du ou de la chlorophacinone 0,005 % ? Des pyrèthres 0,02 % ?

« En tout cas, dit Sabine, c'est plein de trucs dangereux et toxiques, dans ces produits. Il y a des têtes de mort partout…

— Même si c'est toxique, ça ne veut pas dire que c'est ce qu'on cherche, fait remarquer Xavier. Moi, j'ai surtout l'impression qu'on perd notre temps, ici.

— Pas vraiment, dit Jérôme en pouffant de rire. On apprend des choses passionnantes. Saviez-vous qu'il y avait des rodenticides à saveur de bacon ? Je n'aurais jamais imaginé que les rats avaient un faible pour le bacon… »

Sabine lève les yeux au ciel, puis elle va voir le gérant, à qui elle demande si les ventes de pesticides vont bien, en ce moment, s'il doit souvent renouveler son stock, s'il a noté des disparitions inexpliquées de produits toxiques, au cours des derniers mois…

« Et pourquoi tu veux savoir tout ça ? demande Mike Kotsiris, un homme d'une trentaine d'années à la carrure impressionnante et aux sourcils broussailleux.

— C'est pour l'école. J'ai une recherche à faire.

— Dans mon temps, on faisait des recherches sur les pandas ou sur les pays d'Afrique, pas sur les pesticides.

— C'est pour le cours d'écologie. On étudie… euh… l'effet des pesticides sur l'écosystème. L'effet de serre, tout ça… »

L'homme la dévisage un long moment.

« Je ne sais pas pourquoi tu veux savoir ça, mais je peux bien te répondre : non, je n'ai rien remarqué d'anormal du côté des pesticides depuis quelques mois. Au revoir. »

Les trois amis sortent de la quincaillerie.

« Lui aussi était bizarre, murmure Sabine. Il a sûrement quelque chose à cacher…

— Mais ça ne peut pas être l'assassin, dit Jérôme. Il n'était ni vieux, ni laid, ni méchant... »

Sabine pousse un soupir excédé.

« Tu ne vas pas m'embêter avec ça toute ma vie, non ? Je n'ai jamais dit que l'assassin devait être vieux, laid et méchant !

— Ah non ? J'aurais cru, pourtant... »

*

« Je commence à en avoir plein le dos des questions sur les pesticides et les rodenticides, grommelle Mike Kotsiris quand Sabine et ses amis sont partis. À partir de maintenant, je ne réponds plus à aucune question. Et je vous demande d'en faire autant », ajoute-t-il à l'intention de ses trois vendeurs.

*

« Une dernière tentative, et puis on rentre », dit Xavier au moment où ils arrivent devant la deuxième grande pharmacie qui apparaît sur leur liste. « Il est déjà cinq heures, et je ne veux pas que mes parents s'inquiètent... Ce matin, avant de partir travailler, ma mère m'a répété douze fois d'être prudent, de ne pas traîner dans les rues, de ne pas faire de bêtises... En plus, elle se sent responsable de toi, ajoute-t-il en direction de Sabine. Si elle savait à quoi on a passé la journée…

— Ils reviennent de travailler à quelle heure, tes parents ? demande Sabine.

— Aux alentours de six heures… Mon père finit assez tôt, mais c'est lui qui va chercher Stéphanie au service de garde, alors il est rarement là avant six heures moins quart…

— Moi aussi, il va falloir que je rentre, fait savoir Jérôme. Avec ce qui est arrivé à Mathieu, mes parents sont complètement paniqués. Même que ma mère voulait que je l'accompagne au travail aujourd'hui, mais j'ai pu m'en tirer en disant que je passerais la journée avec toi, dit-il à Xavier. Comme elle te trouve très sérieux et très responsable, elle a accepté…

— Bon, OK, ça suffit, les compliments ! dit Sabine. Si on veut sortir de la pharmacie à une heure raisonnable, il faut commencer par y entrer ! »

Comme dans les autres pharmacies, les trois amis se présentent au comptoir des médicaments sur ordonnance. Mais, contrairement à ce qui s'est passé dans les autres pharmacies, la jeune femme qui leur répond (le badge accroché à son sarrau précise qu'elle s'appelle A. Medeiros) est gentille et serviable. Elle répond à leurs questions sur les anticoagulants («Vous comprenez, a dit Sabine, ma grand-mère doit prendre de l'hépacourine, pour son cœur, et ça m'inquiète. J'ai peur qu'elle saigne trop et qu'elle meure, vous savez, comme les enfants qui ont fait des hémorragies...»), précise que ces médicaments sont conservés en lieu sûr, à l'abri du public, et que leurs stocks sont rigoureusement contrôlés.

«Est-ce qu'il est arrivé, récemment, que des patients vous disent qu'ils ont perdu leurs médicaments ou qu'ils renouvellent leurs prescriptions trop rapidement?»

La jeune femme secoue la tête.

«Non, dit-elle sans la moindre hésitation. Avec ces décès provoqués par l'hépacourine, vous pensez bien que la police nous a interrogés et que mon patron a vérifié tout ça deux fois plutôt qu'une...

— Justement, dit Sabine, à propos de ces décès... Dans les journaux, ils disent que les doses d'hépacourine étaient très fortes... Est-ce que ça veut dire que les enfants qui sont morts ont avalé des dizaines ou même des centaines de comprimés?»

La pharmacienne grimace un petit sourire.

« Non, pas du tout. L'hépacourine est un médicament récent, dont la principale caractéristique est d'agir plus rapidement et plus efficacement que les autres anticoagulants. D'après moi, les enfants qui sont morts n'ont pas dû avaler plus que cinq ou six comprimés.

— Mais ils n'ont sûrement pas avalé les comprimés eux-mêmes, fait remarquer Sabine. Tout le monde dit qu'ils n'auraient pas accepté de prendre des médicaments...

— Je sais, oui, dit la pharmacienne. Je suppose que l'assassin a éliminé l'enrobage pour ne garder que l'ingrédient actif, et qu'il a trouvé le moyen de faire avaler celui-ci aux enfants en le cachant dans un autre aliment.

— Comment ?

— Il a pu l'enfouir dans une pâte, le dissoudre dans une boisson, le faire fondre, puis l'injecter dans un bonbon ou dans un chocolat, le réduire en poudre et en saupoudrer un petit gâteau ou un biscuit... Ce ne sont pas les possibilités qui manquent.

— Seriez-vous capable de faire ça, vous ? » demande Sabine.

La pharmacienne ouvre de grands yeux.

« Tuer des enfants ? demande-t-elle d'une voix horrifiée.

— Non, non ! s'empresse de dire Sabine. Extraire l'ingrédient actif, comme vous dites, et le mêler à un aliment sans que ça paraisse.

— Oui, bien sûr, si j'avais besoin de le faire. Mais je n'en vois vraiment pas l'intérêt.

— Est-ce que n'importe quel pharmacien pourrait en faire autant ? demande Xavier.

— Sûrement. Comme des tas d'autres personnes, d'ailleurs. Ce n'est pas très compliqué. »

Les trois amis hochent la tête d'un air songeur.

« Merci beaucoup, dit enfin Sabine. Je suis… je suis rassurée au sujet de ma grand-mère. »

Annie Medeiros regarde s'éloigner le trio, qu'elle a trouvé plutôt sympathique.

« Qu'est-ce qu'ils voulaient ? Ils m'ont semblé bien bavards. »

La jeune pharmacienne se tourne vers son patron, qui vient de sortir de la petite pièce du fond, où il exécutait des ordonnances.

« Ils m'ont posé des questions sur les anticoagulants, sur l'hépacourine en particulier.

— C'est fou comme les gens s'intéressent à l'hépacourine, depuis quelque temps…

— Ça se comprend, avec ces décès d'enfants… La jeune fille s'inquiétait parce que sa grand-mère en prend…

— Et vous l'avez crue, mademoiselle Medeiros ? J'ai eu l'impression, moi, que cette enfant mentait comme elle respirait. »

Annie Medeiros hausse les épaules.

« Quelle importance, de toute façon, monsieur Turcotte ? Ces trois jeunes-là sont maintenant mieux renseignés, c'est tout.

— La curiosité est un vilain défaut », déclare Alfred Turcotte d'un ton sentencieux avant de retourner dans la pièce du fond.

Annie Medeiros a du mal à réprimer un sourire. Monsieur Turcotte, un homme d'une soixantaine d'années qui est toujours d'une dignité et d'une correction irréprochables, a l'agaçante manie de parler par proverbes, dictons et phrases toutes faites. Le matin même, quand Annie est arrivée à la pharmacie en jupe de coton et en t-shirt, les épaules simplement couvertes d'un grand châle et les pieds nus dans ses sandales, monsieur Turcotte a secoué la tête d'un air réprobateur et il lui a dit, de sa belle voix grave : « En avril, ne te découvre pas d'un fil. » Puis il s'est empressé de s'excuser de l'avoir ainsi tutoyée par proverbe interposé.

La jeune pharmacienne secoue la tête en souriant, puis se tourne vers une cliente qui vient d'arriver au comptoir en demandant ce qu'elle devrait prendre pour son mal de gorge.

*

En sortant de la pharmacie, Sabine, Xavier et Jérôme font un bilan rapide de leur journée avant de se séparer.

« L'assassin peut certainement être un pharmacien…, commence Sabine.

— … ou une pharmacienne, précise Jérôme. Y compris celle qu'on vient juste de voir.

— Mais non, voyons, pas elle ! rétorque Sabine.

— Pourquoi ? Parce qu'elle est jeune et belle ? » susurre Jérôme.

Sabine lève les yeux au ciel. Personne n'a jamais dit à Jérôme que les plaisanteries les plus courtes sont aussi les meilleures ?

« Bon, ça va, j'admets qu'on ne peut pas l'éliminer juste parce qu'elle n'a pas une tête de meurtrière, répond-elle. Mais récapitulons… L'assassin peut donc être un pharmacien, mais aussi un chimiste, un biochimiste ou un scientifique quelconque.

— Ou simplement quelqu'un de doué et de bien équipé, ajoute Xavier.

— Ce dont on se doutait déjà, de toute façon, fait remarquer Jérôme. En fait, j'ai l'impression qu'on n'a pas beaucoup avancé, aujourd'hui. On ne sait pas d'où proviennent les anticoagulants qui ont tué Mathieu et les autres. On ne sait pas qui les a tués. On ne sait pas où, quand ni comment ils ont avalé l'anticoagulant…

— Je ne suis pas d'accord ! l'interrompt Sabine. En reconstituant ce que Mathieu a fait entre onze heures et deux heures, on a limité le nombre d'endroits où il a pu trouver le poison. Il suffit maintenant de savoir ce que Julie-Anne et Andrew ont fait, eux, dans les heures qui ont précédé leur mort, et où ils sont allés… On va sûrement finir par trouver quelque chose de commun aux trois. Demain matin, je propose qu'on essaie d'entrer en contact avec Myriam Bigras, la fille qui a envoyé une carte de Saint-Valentin à Andrew, et avec ses copains de hockey. Il faudrait aussi trouver Bianca Bouthillier, la gardienne de Julie-Anne, et…

— Attends ! Attends ! » répètent Xavier et Jérôme sans succès pendant que Sabine décline les noms de tous ceux qu'ils doivent contacter.

Sabine finit par se taire.

« Attends ! dit une dernière fois Xavier. Demain matin, à neuf heures, Jérôme et moi, on doit être à l'école pour une répétition. »

Sabine reste silencieuse un moment. Elle avait complètement oublié ça.

« Et elle va se terminer à quelle heure, cette répétition ? »

Les deux garçons haussent les épaules.

« Aucune idée, répond Xavier. Sûrement pas avant midi. Mais elle peut aussi durer toute la journée. N'oublie pas que c'est la semaine de Pâques et qu'on va devoir assister à beaucoup de répétitions, de messes et d'offices saints pendant la semaine.

— Il va aussi y avoir les funérailles de Mathieu, jeudi ou vendredi », ajoute Jérôme.

Sabine se mord les lèvres. Elle a beau savoir que les garçons n'ont pas le choix, elle a la désagréable impression qu'ils la laissent tomber.

« Tant pis, dit-elle d'une voix sèche. Je vais me débrouiller toute seule. »

Elle tourne les talons et s'éloigne à grands pas.

« Qu'est-ce qui lui prend ? s'étonne Jérôme. Je ne l'ai pourtant pas insultée, cette fois-ci… »

Xavier hausse les épaules.

« Je ne sais pas. Elle n'est pas toujours facile à comprendre, tu sais…

— Vraiment ? dit Jérôme avec ironie. Je n'avais pas remarqué… »

Xavier esquisse un sourire, puis il salue Jérôme et s'élance derrière Sabine.

« Hé ! crie-t-il. Attends-moi ! Tu n'as même pas les clés de la maison… »

Jour 3

Mes yeux sont consumés de larmes,

Mes entrailles frémissent…

(Deuxième *Lamentation* du prophète Jérémie, verset 11)

9

« Tu es sûre de ne pas trop t'ennuyer ? » demande Geneviève Perreault, la mère de Xavier.

Sabine secoue la tête.

« Sûre et certaine. J'ai plein de devoirs et de travaux à faire. »

La mère de Xavier hésite malgré tout à laisser l'adolescente seule à la maison.

« Hier, ce n'était pas pareil. Tu étais avec Xavier. Mais aujourd'hui… Peut-être que tu pourrais passer la journée chez mes parents, au rez-de-chaussée… »

NON ! hurle Sabine intérieurement. Ce n'est pas qu'elle n'aime pas France et Marcel Perreault, les grands-parents·de Xavier, mais elle a des choses beaucoup plus importantes à faire.

« Non, je vous jure, ça va aller, réussit-elle à dire d'une voix très calme. Je vais faire mes devoirs, je vais lire… Et puis, je n'ai pas bien dormi, les deux ou trois dernières nuits… Je vais en profiter pour me reposer un peu… »

Geneviève Perreault n'insiste pas.

« Sois prudente, quand même. Ton père a tendance à s'inquiéter à ton sujet. »

*

Sabine n'a pas *vraiment* menti. Elle passe au moins une heure à faire des exercices de grammaire. Déterminant, groupe verbal, élément déclencheur, situation finale… Elle a beau se concentrer, elle ne comprend pas grand-chose à ce qu'elle lit. Pourtant, c'est du français, pas du chinois…

Enfin, à onze heures dix, elle quitte l'appartement de l'avenue De Lorimier et se dirige vers l'école Paul-Bruchési, que fréquentait Andrew Mason-Beauchamp, le jeune hockeyeur mort le jour de la Saint-Valentin.

Les premiers élèves sortent de l'école à onze heures trente-deux. D'abord quelques individus isolés, puis une masse compacte qui s'échappe à pleines portes. Il y a des tout-petits, qu'elle ne prend pas la peine d'interroger, et des plus grands, qu'elle tente d'intercepter.

« Je cherche Myriam Bigras... Est-ce que vous savez où elle est ?

— Derrière...

— Non, elle est déjà partie.

— Sûrement pas, elle est restée pour parler à Huguette au sujet de l'examen de français...

— D'habitude, elle sort par la rue de Lanaudière.

— Pas toujours. Des fois, elle sort par Chambord... »

Sabine court d'une porte à l'autre, d'une rue à l'autre. Elle se sent comme un chien qui court après sa queue. Finalement, au moment où elle commence à se dire qu'elle a raté Myriam ou que celle-ci dîne au service de garde, une grande fille très pâle et très maigre se plante devant elle.

« C'est moi Myriam. Il paraît que tu me cherches ? »

La fille a des cheveux blondasses et des yeux d'un vert délavé. On dirait qu'elle a été passée à l'eau de Javel, se dit Sabine.

« J'ai des questions à te poser au sujet d'Andrew Mason-Beauchamp. »

Le visage de Myriam se ferme. Elle n'était pas très aimable en partant. Là, elle a l'air carrément hostile.

« Et pourquoi je répondrais à des questions au sujet d'Andrew ? »

Sabine lui présente le *Journal de Montréal* de la veille.

« Parce que le maniaque au poison a tué Mathieu. C'était mon ami. Je voudrais savoir ce qui s'est passé... »

Sabine a l'impression de tourner les coins ronds en prétendant que Mathieu était son ami, elle qui ne l'a jamais vu, mais ne dit-on pas que les amis de nos amis sont nos amis ?

Myriam prend le journal et examine la photo de Mathieu.

« Il ne ressemble pas du tout à Andrew... Est-ce qu'il restait dans le coin ?

— Oui. Sur Brébeuf, entre Marie-Anne et Mont-Royal. »

Myriam hoche la tête. En effet, c'est pas mal dans le coin.

« Je voudrais pouvoir t'aider, finit-elle par dire. Mais je ne sais rien sur la mort d'Andrew.

— Tu en sais peut-être plus que tu ne penses, dit Sabine. Au moins, tu sais des choses sur Andrew lui-même. Tu dois connaître ses goûts, ses habitudes... »

Myriam ne répond pas. Les sourcils froncés, les mains enfoncées dans les poches de sa veste, elle commence à s'éloigner sur le trottoir. Après une brève hésitation, Sabine décide de la suivre.

« Tu dis qu'Andrew ne ressemblait pas à Mathieu. Il était comment, alors ? »

Pas de réponse.

« D'après les journaux, il aimait les cœurs à la cannelle. Est-ce qu'il aimait les bonbons en général ? »

Cette fois, Myriam ralentit un peu. Elle tourne la tête vers Sabine et esquisse même un sourire, ce qui lui donne un air beaucoup plus sympathique.

« Oui, il aimait les bonbons. Les bonbons, les gommes… Il en avait toujours plein les poches.

— Est-ce qu'il les aimait au point d'en accepter de la part d'un inconnu ? » demande Sabine.

Le sourire de Myriam disparaît.

« Comment veux-tu que je le sache ? répond-elle. Je n'étais pas avec lui. » Elle hausse les épaules. « Il a bien dû en accepter, puisqu'il est mort…

— Pas nécessairement… »

Myriam cesse de marcher. Elle se tourne carrément vers Sabine.

« Qu'est-ce que tu veux dire ? demande-t-elle d'un air soupçonneux.

— Mes amis et moi, on a reconstitué la dernière journée de Mathieu et on est sûrs qu'il n'a rien accepté d'un inconnu. Il existe donc deux possibilités : ou bien il a accepté quelque chose de quelqu'un qu'il connaissait, ou bien il a pris le poison par hasard, sans s'en rendre compte. »

Myriam observe Sabine quelques instants sans répondre.

« Et dans le cas d'Andrew ? finit-elle par dire.

— Dans le cas d'Andrew, ça devrait être la même chose. Quelqu'un qu'il connaissait, ou un pur hasard…

— Mais comment savoir ?

— En reconstituant tout ce qu'Andrew a pu faire pendant la période critique.

— La période critique ? »

Sabine explique à Myriam ce que Xavier appelle la période critique, c'est-à-dire les quelques heures pendant lesquelles les victimes ont forcément avalé le poison qui a fini par les tuer.

« Dans le cas d'Andrew, ce devait être entre une heure et quatre heures de l'après-midi, le jour de sa mort, précise-t-elle. Peux-tu me dire tout ce qu'il a fait pendant ce temps-là ? »

Myriam se gratte longuement le mollet gauche avant de répondre. Finalement, elle se redresse et regarde Sabine droit dans les yeux.

« Je ne sais pas tout ce qu'il a fait pendant ce temps-là, dit-elle d'une voix étouffée. Je suis même très mal placée pour te répondre.

— Mais tu l'aimais ! Tu lui as envoyé une carte de Saint-Valentin… »

Myriam a un petit rire triste.

« Si tu savais comme je regrette de lui avoir envoyé cette carte-là ! J'ai l'impression que le monde entier est au courant et rit de moi dans mon dos… Oui, je lui ai envoyé une carte. Et, oui, je l'aimais, Andrew. Mais ça ne veut pas dire qu'il m'aimait, lui aussi ! En fait, il ne voulait rien savoir de moi… »

Une pause, pendant laquelle Myriam semble perdue dans ses pensées.

« Tu ferais mieux d'interroger Maxime et Dave. Ils étaient toujours avec Andrew. »

Sabine tente de se rappeler ce qu'elle a lu au sujet d'Andrew.

« Maxime et Dave ? Ses copains de l'équipe de hockey ? demande-t-elle.

— Oui. Ils sont aussi dans notre classe. Maxime Lavoie et Dave Séguin-Soucy.

— Et je peux les trouver où ? Ils dînent au service de garde ou chez eux ?

— Ils mangent tous les deux chez Dave. Mais, comme je les connais, ils ont dû avaler leur dîner en deux minutes et ils doivent être en train de jouer au ballon au parc Laurier.

— Où, exactement ? C'est grand, le parc Laurier.

— Suis-moi, je vais te montrer. J'habite juste à côté. »

*

Maxime et Dave sont effectivement au parc, au coin de Laurier et Christophe-Colomb, et ils cessent de donner des coups de pied dans leur ballon pendant que Sabine leur explique ce qu'elle veut. Myriam est entrée chez elle après avoir fait les présentations, et Sabine est donc seule avec les deux garçons. Maxime est un petit nerveux ; Dave, un grand nerveux. Pendant que Sabine leur parle, ils bougent sans arrêt. Ils se grattent le nez ou le bras, se perchent sur une jambe, puis sur l'autre, se passent le ballon de main à main…

« Le fatigant aussi voulait savoir tout ce qu'Andrew avait fait, l'après-midi de la Saint-Valentin.

— Le fatigant ? répète Sabine.

— Le détective de la police. Un grand air bête qui a l'air de nous prendre pour des assassins. On ne l'avait pas vu quand

Andrew est mort, mais, depuis que la petite fille est morte, il n'arrête pas de nous poser des questions. Est-ce qu'Andrew connaissait Julie-Anne ? Qu'est-ce qu'il a fait entre une heure et quatre heures ? Qu'est-ce qu'il a mangé ? Qui est-ce qu'il a vu ?... »

Tiens, tiens, se dit Sabine. Mon père se pose les mêmes questions que moi, je dois être sur la bonne piste. Mais je devrais peut-être lui suggérer de se montrer plus aimable quand il interroge des témoins...

« En tout cas, poursuit Maxime, il avait l'air pas mal excité, hier, quand on lui a dit qu'on connaissait Mathieu, le nouveau mort...

— Quoi ! Vous... vous... »

Sabine est tellement excitée, elle aussi, qu'elle ne trouve pas ses mots.

« On allait à la même garderie, quand on était petits, explique Dave. On s'est revus une couple de fois après, à des fêtes ou au parc. Mais, là, ça faisait un bon bout de temps qu'on ne l'avait pas vu...

— Et Andrew, il connaissait Mathieu, lui aussi ?

— Non. »

Sabine, qui commençait à croire qu'elle avait enfin trouvé le lien entre les victimes, est très déçue.

« Mathieu est parti avant qu'Andrew arrive à la garderie, poursuit Dave. Il était un peu plus vieux que nous et il a commencé l'école avant… »

Sabine s'assure qu'elle a bien compris avant de penser à se réjouir.

« Es-tu en train de me dire qu'Andrew a fréquenté la même garderie que Mathieu, même s'ils n'ont pas été là en même temps ? »

Dave la regarde avec pitié, comme s'il la trouvait vraiment lente d'esprit.

« Évidemment que c'est ça que je viens de dire ! »

Dans la tête de Sabine, les questions et les hypothèses se bousculent. Et si l'assassin était un éducateur ou une éducatrice ? Le père ou la mère d'un autre enfant ? Il faut absolument qu'elle sache si la petite Julie-Anne a fréquenté cette garderie, elle aussi ! Mais, patience ! Chaque chose en son temps…

« C'était quelle garderie ? demande Sabine en sortant son carnet et son crayon.

— La garderie *Papillon bleu*, à côté de l'église Saint-Stanislas.

— Pas très loin de l'école, donc ?

— Juste en biais. »

Sabine réfléchit un moment.

« Et Julie-Anne, la petite fille qui est morte, est-ce qu'elle a fréquenté la garderie *Papillon bleu*, elle aussi ?

— Je ne sais pas, dit Maxime. On ne la connaissait pas. Mais ça ne veut rien dire. Elle était pas mal plus jeune que nous. Elle avait quoi, six ans ?

— Sept. »

Maxime regarde Dave, qui hausse les épaules en signe d'ignorance.

« Même si elle est allée à la garderie *Papillon bleu*, c'était pas mal après nous. »

Sabine n'insiste pas. Elle va devoir trouver la réponse ailleurs. En attendant, elle a d'autres questions à poser à Dave et à Maxime.

« Le 14 février, étiez-vous avec Andrew tout l'après-midi ?

— Presque tout le temps, répond Maxime.

— Après l'heure du dîner, oui, précise Dave. On a passé l'après-midi à l'école.

— Et, après l'école, on est allés tous les trois chez moi, ajoute Maxime. On a soupé, puis on est partis pour l'aréna ensemble. »

Sabine note tout dans son carnet.

« En sortant de l'école, demande-t-elle, êtes-vous passés devant la garderie ?

— Oui.

— Êtes-vous entrés ?

— Dans la garderie ? Non. On n'y entre jamais.

— Avez-vous croisé des gens de la garderie ? Une éducatrice, un parent, des enfants ? »

Les deux garçons font une moue dubitative. Maxime se gratte vigoureusement le crâne, et Dave tapote son ballon du bout des doigts à un rythme endiablé.

« Ça se pourrait, c'est sûr, répond finalement Dave. Mais ça ne m'a pas frappé. En tout cas, on n'a parlé à personne de là...

— Personne de la garderie ne vous a parlé ? Personne n'a donné quoi que ce soit à Andrew ?

— Non ! » répondent les garçons d'une seule voix.

Sabine mordille son crayon un moment. Le lien entre Andrew et Mathieu, le lien garderie, est-il important, ou ne s'agit-il que d'un hasard ? Impossible de le savoir pour l'instant... Elle décide d'explorer une autre piste.

«Les cœurs à la cannelle, dit-elle. Je sais qu'Andrew en a mangé ce jour-là. Il les a pris où ? Il les a achetés ou…

— Tout le monde a mangé des cœurs à la cannelle ! s'exclament en chœur Dave et Maxime.

— Tout le monde ? répète Sabine.

— Toute la classe, précise Dave. Suzanne, notre enseignante, en avait acheté plusieurs sacs. Elle les a vidés dans des bols dans lesquels tout le monde a pigé toute la journée.

— Peut-être qu'Andrew est tombé sur des bonbons empoisonnés, suggère Sabine.

— Non, répond aussitôt Maxime en secouant la tête. Les premiers enquêteurs ont dit que c'était impossible. Compte tenu de la grosseur des cœurs, il aurait fallu qu'il en mange une dizaine, tous empoisonnés… et qu'il ait été le seul à tomber sur les bonbons empoisonnés. Le lendemain, une infirmière est venue faire des prises de sang à tous les élèves de la classe, et même à Suzanne, et personne n'avait la moindre trace d'anticoagulant. »

Au moins c'est clair, se dit Sabine. On peut éliminer les cœurs à la cannelle des sources possibles de poison.

« Et, à part les cœurs à la cannelle, qu'est-ce qu'il a mangé d'autre, Andrew, qui aurait pu l'empoisonner ? A-t-il trouvé quelque chose par terre ? A-t-il acheté quelque chose ? »

Les garçons échangent un regard. Ils semblent mal à l'aise, tout à coup.

« Alors ? insiste Sabine. Il a acheté quelque chose, oui ou non ? »

Maxime se décide enfin.

« Eh bien..., dit-il après un court silence. Au début, quand les premiers policiers nous ont interrogés, le lendemain de la mort d'Andrew, on était sûrs qu'il n'avait rien acheté, et c'est ça qu'on leur a dit. Et puis, par après, je me suis dit qu'il avait peut-être pris des bonbons, tu sais, dans une machine à bonbons. Mais je ne pourrais pas en jurer...

— Il en achetait souvent, tu comprends, intervient Dave. Alors, même si, dans notre tête, on le revoit en train d'acheter des bonbons, on ne peut pas être sûrs que c'était ce jour-là.

— Et où se trouvait le distributeur ? »

Les garçons se grattent la tête.

« Je ne suis pas sûr, finit par dire Maxime. Soit au dépanneur qui se trouve au coin de Papineau et Mont-Royal, soit à la pharmacie qui est un peu plus loin.

— Au coin de Chambord ? demande Sabine.

— Oui. »

C'est la pharmacie où travaille A. Medeiros, se dit Sabine en écrivant DISTRIBUTEUR DE BONBONS ??? en grosses lettres dans son carnet.

« Avez-vous parlé de ça à la police ? »

Les garçons échangent un nouveau regard. Ils n'ont pas l'air très fiers d'eux.

« Pas au début, non, dit enfin Maxime. Quand on y a repensé, l'enquête était finie, et tout le monde pensait que la mort d'Andrew était accidentelle. Ça aurait servi à quoi d'en parler ?

— Surtout qu'on n'était pas vraiment sûrs qu'il en avait acheté, ajoute Dave.

— Et puis, après, la petite fille est morte…

— … et le fatigant est venu nous voir…

— … alors, on lui en a parlé…

— … mais en disant qu'on n'était pas sûrs, quand même. »

Maxime et Dave se taisent, et Sabine réfléchit.

« Et hier, quand le policier est revenu, est-ce qu'il vous a reparlé de ces bonbons-là ? »

Les deux garçons secouent la tête en même temps.

« Non. »

Ça ne veut rien dire, songe Sabine. Il possédait déjà cette information. Elle, par contre, a appris au moins deux choses importantes : le lien Andrew-Mathieu par l'intermédiaire de la garderie *Papillon bleu*, et la possibilité qu'Andrew ait pris des bonbons dans un distributeur… Il va falloir qu'elle fouille ces deux pistes, en vérifiant notamment si Julie-Anne a quelque chose à voir avec la garderie, et si elle a eu accès à une machine à bonbons.

« Vous avez dit tout à l'heure que vous ne connaissiez pas Julie-Anne. Connaissez-vous Bianca Bouthillier, sa gardienne ? Elle reste dans le quartier, je suppose…

— On ne la connaît pas, non, répond Dave. Mais je sais qu'elle va à l'école Jeanne-Mance. C'est ma cousine Christine qui me l'a dit. Elle est dans un de ses cours.

— Et elle est en quelle année, ta cousine Christine ? »

Dave plisse le front, se gratte le nez, lance un regard interrogateur à Maxime, qui secoue la tête en faisant une petite moue.

« Je ne sais pas trop, dit Dave. Secondaire 2 ? Secondaire 3 ? »

Sabine n'insiste pas. Une fois à Jeanne-Mance, elle trouvera bien une façon de parler à Bianca Bouthillier.

« Merci », dit-elle aux deux garçons, qui ont déjà recommencé à donner des coups de pied dans leur ballon.

Elle commence à s'éloigner.

« Au fait, dit-elle au bout de quelques pas, si jamais vous revoyez le fatigant, ne lui parlez pas de moi, OK ? C'est mon père, et je veux lui faire une surprise. »

10

Quand Sabine arrive devant l'école Jeanne-Mance, elle n'a guère d'espoir de trouver Bianca Bouthillier avant le début des cours de l'après-midi. Il est déjà une heure moins vingt, et il y a beaucoup d'élèves dans cette grosse école secondaire. Sabine a vu une photo de Bianca, parmi les coupures de journaux amassées par Xavier, mais c'est une photo en noir et blanc, petite et floue, qui ne révèle pas grand-chose, sinon que Bianca a les cheveux longs et foncés. Ce n'est pas suffisant pour reconnaître la gardienne de Julie-Anne.

Elle s'approche d'un groupe de filles en train de fumer près d'une clôture, pas très loin de l'entrée des élèves.

« Je cherche Bianca Bouthillier. Est-ce que vous la connaissez ? »

Les filles la dévisagent de la tête aux pieds avant que l'une d'elles se décide à répondre. Elle est petite, un peu boulotte, et elle a la tête hérissée de pics verts et bleus.

« La vedette ? dit-elle. Qu'est-ce que tu lui veux, à la vedette ? »

Sabine fronce les sourcils.

« Comment ça, la vedette ? »

Les filles éclatent de rire.

« Elle a son nom dans le journal, elle a sa photo dans le journal, explique la fille aux cheveux bicolores. En plus, elle a des initiales de vedette… Qu'est-ce que ça prend de plus ? »

Sabine fait mine de se creuser les méninges.

« Du talent ? » risque-t-elle.

Les filles rient de plus belle.

« Du talent ? Si ça prenait du talent, on serait toutes des vedettes ! Non, ça prend

des seins, des fesses et du pushing… beaucoup de pushing.

— Et Bianca a tout ça ? demande
Sabine d'un air innocent. Des fesses, des
seins et du pushing ? »

À présent, les filles sont mortes de rire,
sauf la fille à la tête de hérisson, qui a un
reniflement de mépris.

« Non. Bianca n'a pas tout ça, répond-
elle. Mais ça ne l'empêche pas d'être une
vedette… Plutôt malgré elle », ajoute-
t-elle avec un soupir.

Sabine commence à trouver la discus-
sion lassante… d'autant plus que le temps
passe vite et qu'une cloche vient de se
faire entendre. Ce n'est pas tout de suite
qu'elle va découvrir Bianca Bouthillier.

« Où est-ce que je peux la trouver,
Bianca ? insiste-t-elle pendant que les
filles aspirent une dernière bouffée en
vitesse avant d'écraser leur cigarette
devant l'entrée.

— Ici, à trois heures et quart, juste
après la fin des cours », répond la fille aux
pics bleus et verts en se dirigeant vers la
porte.

Avant d'entrer, elle se retourne et
regarde Sabine droit dans les yeux.

« Bianca, c'est moi. »

*

Sabine est postée devant la porte de l'école dès quinze heures. Entre-temps, elle s'est rendue à la garderie *Papillon bleu*, où elle a tenté de savoir si Julie-Anne avait déjà fréquenté celle-ci. Mais la responsable, Mme Lalonde, a refusé de lui répondre.

« Ce sont des renseignements confidentiels », a-t-elle dit en regardant Sabine d'un air soupçonneux.

Et, quand celle-ci a insisté, Mme Lalonde l'a carrément mise à la porte en lui disant de se mêler de ses affaires.

« Si tu remets les pieds ici, j'appelle la police », a-t-elle ajouté en refermant la porte.

Sabine en a conclu qu'elle avait peut-être quelque chose à cacher… ou peut-être pas. Personne n'est obligé de répondre à ses questions, après tout. Et, jusqu'à maintenant, à part la jeune pharmacienne, les adultes ne se sont guère montrés coopératifs.

Pourvu que Bianca l'aide à faire avancer son enquête !

Celle-ci sort de l'école à quinze heures vingt, et les deux filles décident d'aller chez Dunkin Donuts, où elles seront plus à l'aise pour parler. C'est donc attablée devant un beigne au chocolat et un grand verre de lait que Bianca répond aux questions de Sabine, en commençant par celle qui brûlait les lèvres de la jeune détective depuis leur brève rencontre du midi.

« Pourquoi est-ce que tu as changé de coiffure ? »

Bianca passe lentement la main sur les pics bleus et verts qui se dressent sur sa tête.

« Après Julie-Anne, j'aurais voulu changer de vie, dit-elle simplement. Ce n'était pas possible, alors j'ai changé de tête. »

Elle connaissait Julie-Anne depuis deux ans, mais elle ne sait pas si la fillette a déjà fréquenté la garderie *Papillon bleu*. Par contre, depuis sa maternelle, Julie-Anne allait à l'école Lanaudière, à quelques rues de chez elle. Et, tous les samedis, Bianca gardait la fillette pendant que sa mère travaillait.

« Elle est caissière chez Métro », précise Bianca en léchant ses doigts maculés de chocolat.

Deux semaines et demie plus tôt, le samedi 16 mars, tout s'est déroulé comme d'habitude. Bianca est arrivée chez Julie-Anne à huit heures moins vingt. Elles sont parties pour le Centre Immaculée-Conception, où Julie-Anne suivait ses cours de gymnastique, à neuf heures moins quart. Les cours se sont déroulés de neuf heures à dix heures et quart. Avant de quitter le Centre, Bianca et Julie-Anne se sont arrêtées à la cafétéria, où elles ont partagé une poutine. Bianca a bu un coke, Julie-Anne un jus de pomme. Après, elles se sont promenées sur l'avenue du Mont-Royal.

« Il faisait vraiment beau, dit Bianca. Pas aussi chaud que ces jours-ci, mais il y avait du soleil, et c'était une des premières journées où on sentait que le printemps s'en venait. On est allées jusqu'à l'animalerie, près de la rue Saint-Hubert. Julie-Anne pouvait passer des heures à regarder les bébés chats et les bébés chiens...

— Êtes-vous restées là des heures ?

— Non, quand même pas... »

Selon Bianca, elles ont dû passer une vingtaine de minutes à l'animalerie. Ensuite, elles sont revenues en flânant, toujours sur Mont-Royal. Elles ont fait un court arrêt au supermarché où travaillait la mère de Julie-Anne (« le temps de lui donner un bec, c'est tout », précise

Bianca), elles ont regardé la vitrine d'une boutique de vêtements, celle d'un magasin de jouets («Julie-Anne rêvait d'avoir la maison de poupées Playmobil, et elle voulait toujours qu'on s'arrête devant cette vitrine-là»)...

«Après, on est allées à la pharmacie, dans le rayon des cosmétiques, dit Bianca. On y allait tous les samedis. Il y a toujours des échantillons, et on aimait ça les essayer... Des lotions pour les mains, des fonds de teint, du vernis à ongles, des rouges à lèvres... D'habitude, les vendeuses nous laissaient tranquilles. On n'essayait jamais trop de choses en même temps... La mère de Julie-Anne n'aimait pas tellement ça, alors je m'arrangeais toujours pour bien la nettoyer quand on rentrait chez elle...»

Bianca a un petit sourire nostalgique en racontant tout ça, et Sabine s'en veut un peu de la ramener à la réalité.

«Pendant tout ce temps-là, personne ne s'est approché de Julie-Anne? Personne ne lui a tendu quoi que ce soit? À l'animalerie, au supermarché, à la pharmacie? Il y a parfois des clowns, des gens qui font goûter de nouveaux produits...»

Bianca secoue la tête.

« Non, personne ne lui a rien donné, j'en suis sûre et certaine.

— Et, à part la poutine et le jus de pomme, Julie-Anne n'a rien mangé ? Vous n'avez rien acheté, rien trouvé ? »

Sabine pense aux machines à bonbons, dont les amis d'Andrew ont parlé un peu plus tôt. On trouve de ces machines dans de nombreux endroits, les pharmacies et les supermarchés, notamment. Sans doute aussi dans les dépanneurs. Y en a-t-il dans d'autres genres de commerces ? Dans les animaleries, les magasins de jouets…? Sabine a l'intention de vérifier tout ça bientôt.

Bianca vide son verre de lait sans répondre.

« Vous n'avez pas acheté de bonbons, de gommes ? insiste Sabine. Tu sais, le genre de choses qu'on achète machinalement, sans trop s'en rendre compte… »

Bianca passe une main nerveuse sur les pics qui se dressent sur sa tête, puis elle se met à triturer une mèche bleue. Elle semble très embêtée.

« Pourquoi tu veux savoir tout ça ? finit-elle par demander. Tu m'as dit que tu étais une amie de Mathieu, mais ce n'est quand même pas à toi de faire l'enquête… »

Sabine hésite à peine : si elle veut obtenir la collaboration de Bianca, elle doit d'abord avoir sa confiance. Et la meilleure façon de gagner sa confiance, c'est sûrement de lui dire la vérité... ou une interprétation de la vérité.

« D'accord, je vais être franche avec toi. Je ne suis pas seulement une amie de Mathieu. Je suis aussi la fille de Pierre Ross, le détective qui mène l'enquête. Et il s'est dit que j'étais peut-être mieux placée que lui pour poser certaines questions à des jeunes, pour leur inspirer confiance... »

Sourcils froncés, Bianca continue à triturer sa mèche de cheveux.

« Tu aides ton père dans son enquête, et il ne t'a même pas dit que... »

Bianca se mord les lèvres sans terminer sa phrase.

Sabine cherche quelque chose de brillant à répondre. Quelque chose qui lui permettrait de regagner la confiance de Bianca et de savoir ce que son père aurait dû lui dire, sans trahir le fait que celui-ci ne lui a jamais demandé de l'aider...

Bianca ne lui en laisse pas le temps.

« Écoute, je suis désolée pour ton ami. Et j'espère vraiment que ton père va trouver l'assassin. Mais je ne peux rien te dire de plus. Ton père m'a fait jurer de ne révéler à personne un détail qui pourrait lui permettre de coincer le meurtrier. Je ne peux en parler ni à mes amies, ni à ma famille, ni même à la mère de Julie-Anne… Alors, si ton père ne t'en a pas parlé, ce n'est pas à moi de le faire. Bye. »

Et, avant que Sabine ait le temps de réagir, Bianca saisit son blouson et son sac d'école, puis elle s'éloigne à grandes enjambées.

Sabine reste seule devant son beigne à elle, un beigne à l'érable à peine entamé qu'elle reste longtemps à fixer d'un air malheureux.

*

« Les distributeurs de bonbons qui sont dans l'entrée ? répète Annie Medeiros, la jeune pharmacienne. Non, ce n'est pas nous qui remplissons ces appareils. Il y a une compagnie qui s'occupe de ça.

— Savez-vous à quelle fréquence la compagnie les remplit ? » demande Sabine.

La jeune femme hausse les épaules.

« Aucune idée, répond-elle. Tu sais, nous, derrière notre comptoir, avec nos ordonnances et nos médicaments, nous n'avons rien à voir avec les machines à bonbons. C'est sûrement le gérant de la pharmacie, Simon Deland, qui fait affaire avec les fournisseurs. Ou peut-être même que tout ça se règle au siège social... Je ne suis pas au courant. Mais pourquoi veux-tu savoir ça ? Est-ce que les machines sont vides ?

— Non... je voulais simplement savoir comment ça se passait. C'est pour... pour...

— Pour ta grand-mère, peut-être ? demande la pharmacienne d'un air taquin.

— Ma grand-mère ? répète Sabine, interloquée.

— Oui, celle qui prend de l'hépacourine... »

Sabine rougit jusqu'à la racine des cheveux.

« Ah oui, elle ! Euh, non, c'est pour moi. Juste pour savoir. Alors, merci. Merci beaucoup. »

Annie Medeiros la regarde s'éloigner d'un air songeur. D'abord l'hépacourine. Maintenant les distributeurs. Ce sont précisément les sujets qui intéressent beaucoup la police. Pourquoi cette petite jeune fille pose-t-elle elle aussi des questions là-dessus ? Les journaux n'ont pourtant jamais parlé des distributeurs. De l'hépacourine, oui, abondamment. Mais pas des machines. Comment l'adolescente a-t-elle pu faire le lien entre les deux ?

« Toujours aussi curieuse, cette petite, à ce que je vois, murmure Alfred Turcotte à côté d'elle. Ce n'est pas très prudent. Comme je le dis toujours...

— ... la curiosité est un vilain défaut », termine Annie Medeiros à sa place.

*

« Les bonbons empoisonnés ont été pris dans des machines à bonbons ! affirme Sabine avec force. Andrew en a probablement acheté pendant la période critique. Pour ce qui est de Julie-Anne, Bianca n'a pas voulu me répondre quand je lui ai demandé si la fillette avait acheté des bonbons ou de la gomme, mais c'est à ce moment-là qu'elle a commencé à être mal à l'aise. Et toi, Jérôme, tu penses que Mathieu aurait pu acheter des bonbons ou de la gomme sans que tu t'en aperçoives... »

Mardi soir, dix-neuf heures trente. Sabine, Jérôme et Xavier sont dans la chambre de ce dernier, et Sabine rapporte aux garçons ses découvertes de la journée.

« Il me semble que tu sautes pas mal vite aux conclusions », dit Xavier d'une voix prudente quand Sabine a fini de parler. « Il est *possible* que Mathieu, Julie-Anne et Andrew aient pris des bonbons dans des distributeurs, mais ça n'a rien de certain...

— Et il y a aussi la question de la garderie, ajoute Jérôme. C'est une piste intéressante, je trouve... Une *vraie* piste. Tu ne peux pas la laisser tomber comme ça. »

Sabine est déçue. Elle s'attendait à plus d'enthousiasme de la part des garçons.

« C'est sûr que nous allons garder la piste de la garderie, admet-elle cependant. Mais je ne sais pas trop comment vérifier si Julie-Anne est allée là. La responsable de la garderie se méfie de moi, Bianca ne sait rien à ce sujet et, de toute façon, elle refuse de me parler...

— Elle refuse de te parler quand tu poses des questions sur ce que Julie-Anne a mangé, intervient Xavier. Peut-être qu'elle accepterait de se renseigner au sujet de la garderie que Julie-Anne a fréquentée...

— Elle pourrait demander à la mère de Julie-Anne », ajoute Jérôme.

Sabine ne semble pas très chaude à l'idée de retourner voir Bianca.

« On peut y aller avec toi, propose Xavier. Demain matin, on a congé de répétitions. Il faut seulement qu'on soit à l'école dans l'après-midi. »

Le visage de Sabine s'illumine.

« On va pouvoir suivre les deux pistes ! dit-elle avec enthousiasme. On va commencer par intercepter Bianca avant qu'elle entre à l'école. Ensuite, on va refaire les trajets complets suivis par Andrew, Julie-Anne et Mathieu dans les heures qui ont précédé leur mort, et identifier toutes les machines à bonbons qui se trouvent sur ces trajets… On va noter où se trouvent les machines et quel genre de bonbons elles contiennent. On pourrait même prendre des échantillons dans chacune des machines, et… »

Les garçons soupirent à l'unisson. Des heures de plaisir en perspective… Pourvu que le beau temps persiste. Ils n'ont aucune envie de passer la journée à geler ou à marcher sous la pluie.

Jour 4

Elle passe ses nuits à pleurer
Et les larmes couvrent ses joues…

(Première *Lamentation* du prophète Jérémie,
verset 2)

11

Bianca grimace en apercevant Sabine et ses amis qui l'attendent devant l'école.

« Je te présente Xavier et Jérôme, dit aussitôt Sabine en désignant les garçons. Elle, c'est Bianca. »

Celle-ci conserve son air sombre.

« Même avec du renfort, tu ne sauras rien de plus que ce que je t'ai dit hier, lance-t-elle en direction de Sabine.

— On n'est pas ici pour te poser des questions, intervient Xavier. On se demandait seulement si tu pouvais nous rendre un petit service. »

Et il explique qu'ils ont vraiment besoin de savoir si Julie-Anne a fréquenté la garderie *Papillon bleu*.

« Tu pourrais demander à la mère de Julie-Anne », conclut-il.

Bianca secoue frénétiquement la tête de gauche à droite.

« Non, non et non ! dit-elle avec force. La mère de Julie-Anne est bouleversée par la mort de sa fille, et je n'ai pas l'intention de lui faire encore plus de mal en la bombardant de questions. Si vous voulez la torturer, faites-le vous-mêmes. Moi, je ne m'en mêle pas.

— Mais on ne la connaît pas ! proteste Sabine.

— Et le mieux, si tu veux mon avis, c'est que tu continues de ne pas la connaître ! C'est à ton père d'interroger les gens, pas à toi ! Et je t'avertis, Sabine Ross : si tu reviens m'embêter, j'en parle à ton père. Il m'a donné sa carte, au cas où j'aurais besoin de le contacter, et…

— OK, OK, pas de panique ! l'interrompt Sabine en levant les deux mains. On va te laisser tranquille… »

Elle a parlé d'une voix hargneuse et elle s'éloigne d'un pas furieux en bougonnant contre Bianca.

Elle lui reproche son indifférence, son manque de collaboration, son refus de répondre à leurs questions… Mais, au fond d'elle-même, elle sait qu'elle est de mauvaise foi. Ce qu'elle reproche à Bianca, d'abord et avant tout, c'est de connaître des choses qu'elle, Sabine, ne connaît pas. Et de partager un secret avec son père.

*

Des heures durant, Sabine, Xavier et Jérôme arpentent les rues du quartier pour refaire les itinéraires suivis par Mathieu, Julie-Anne et Andrew avant leur mort. Ils vérifient où se trouvent les distributeurs de bonbons, notent les noms et les numéros de téléphone des compagnies qui en sont propriétaires, font l'inventaire des bonbons de chacune des machines.

Sabine, qui a de la suite dans les idées, a pris la peine de se munir de plusieurs rouleaux de vingt-cinq cents et d'une multitude de sachets de plastique dans lesquels elle place des échantillons de bonbons. Sur chaque sac, elle colle une étiquette qui donne les renseignements suivants : nom du commerce, adresse, emplacement de la machine dans le commerce (entrée, avant, arrière, etc.) et parmi les distributeurs eux-mêmes (il y en a généralement cinq ou six en un même lieu, disposés sur deux rangées ; Sabine les numérote de gauche à droite en commençant par la rangée du fond), date de la cueillette (3 avril). Ensuite, elle met les échantillons dans son sac à dos.

« Ça va servir à quoi, à part te ruiner ? demande Xavier au bout d'une heure.

— Ça va servir de preuve, rétorque vivement Sabine. Quand je vais expliquer mon hypothèse à mon père, je veux pouvoir appuyer mes dires.

— Tu pourrais les manger, suggère Jérôme d'un air innocent. Si tu meurs, ce sera vraiment la preuve que ton hypothèse était bonne… »

Sabine lève les yeux au ciel.

« Crétin », soupire-t-elle.

Jérôme lui adresse un grand sourire.

« Je sais, oui », dit-il d'un air satisfait.

*

Avant le départ des garçons pour leur répétition, le trio s'arrête chez Jérôme pour prendre une bouchée et faire le point.

« Alors, demande Jérôme avant de mordre dans son sandwich jambon-fromage-tomates-laitue, qu'est-ce que tu vas faire avec tes trente-deux mille sacs de bonbons ? »

Sabine regarde l'amoncellement de sachets au milieu de la table. Il n'y en a pas trente-deux mille – il s'en faut de beaucoup –, mais le tas est quand même impressionnant. Il y a de tout, dans ces petits sacs :

de grosses gommes à mâcher multicolores, des casse-gueule, de petits bonbons plats, de gros jujubes givrés, des bonbons durs, des bonbons mous, des bonbons rouges, verts, bleus, noirs, jaunes...

« Je devrais peut-être les classer par catégories », dit-elle d'une voix hésitante.

À vrai dire, maintenant qu'elle a ramassé tous ces bonbons, elle ne sait pas trop quoi en faire. Devrait-elle les apporter à son père en lui disant de les faire analyser ? Entrer en contact avec les compagnies dont les noms apparaissent sur les machines en leur demandant où ils prennent leurs bonbons, à quel rythme ils remplissent les distributeurs et quelle serait la meilleure façon d'y introduire des bonbons empoisonnés ?

« Je me demande comment l'assassin met l'anticoagulant dans les bonbons », dit-elle à haute voix.

Xavier avale une bouchée avant de répondre.

« À condition que tu aies raison, bien sûr, et que Mathieu et les autres aient avalé des bonbons empoisonnés pris dans des distributeurs. Pour l'instant, il n'y a rien qui prouve ça... »

Sabine continue à fixer le tas de bonbons d'un air féroce. Elle est si concentrée qu'elle en oublie de manger. Jérôme, qui a terminé son sandwich en quelques bouchées, lui demande s'il peut prendre un bout du sien.

« Oui, oui, répond Sabine d'un air distrait. Je sais ce que je vais faire, poursuit-elle en tournant un regard brillant vers les garçons. Je vais aller voir la pharmacienne, vous savez, celle qui est gentille, et je vais lui demander lesquels de ces bonbons pourraient le plus facilement contenir une forte dose d'hépacourine, et de quelle façon elle mettrait le poison dedans, si elle était l'assassin…

— Et si c'est vraiment elle, l'empoisonneuse ? demande Xavier. N'oublie pas que ce n'est pas parce qu'elle est jeune et gentille que… »

Sabine le fait taire avec une exclamation d'impatience. Elle sait déjà tout ça. Mais elle est sûre, sûre et certaine, que A. Medeiros est innocente. Elle revoit la pharmacienne, son sourire, ses longs cheveux noirs, ses yeux brillants et rieurs. Une tueuse n'aurait pas ces yeux-là. Ni ce léger accent chantant. Sabine se demande de quelle nationalité est la jeune femme. Medeiros. Espagnole, peut-être.

Ou portugaise. Probablement portugaise. Et son prénom, quel peut être son prénom ? Alexandra ? Antonia ? Annabelle ? Alice, comme la tante de Xavier ? Sûrement pas Astrid ni Arthémise…

« Youhou ! lance Jérôme en agitant les mains devant les yeux de Sabine. Tu dors ? Ça fait deux fois que je te demande si tu vas manger le reste de ton sandwich. Il faut qu'on parte, Xavier et moi, si on ne veut pas être en retard à la répétition… »

Sabine secoue la tête.

« Non, dit-elle en ramassant ses sachets de bonbons. Je n'ai pas faim. »

Pendant que Jérôme engloutit le reste du sandwich de Sabine, Xavier regarde celle-ci remplir son sac à dos.

« De toute façon, dit-il, si tu as un petit creux, tu peux toujours manger tes bonbons… »

Par moments, Sabine se demande si elle est la seule à croire à cette enquête.

*

« Annie ? » dit le jeune pharmacien à lunettes quand Sabine lui demande si A. Medeiros est là. « Non, elle a toujours congé le mercredi. C'est moi qui la remplace.

Mais je peux sans doute t'aider… Qu'est-ce que tu voulais savoir ? »

Sabine secoue la tête. Non, ça va, ce n'était pas très important, de toute façon…

« Est-ce qu'elle va être là demain ? demande-t-elle pourtant.

— Oui. Normalement, elle devrait être ici toute la journée.

— Merci. »

Une cliente arrive, une ordonnance à la main, et Sabine lui cède sa place au comptoir. Avant de s'éloigner, cependant, elle observe attentivement la section où se tiennent les pharmaciens et où sont conservés les médicaments vendus sur ordonnance. Quelqu'un pourrait-il franchir le comptoir et voler de tels médicaments sans se faire prendre ? Ce serait difficile. Il y a toujours deux ou trois pharmaciens de service. En ce moment, par exemple, ils sont trois : le jeune homme à lunettes, qui explique quelque chose à sa cliente ; au fond de la section, de dos, un homme aux cheveux blancs qui verse des comprimés dans un petit contenant ; et, plus près, une dame à l'air fatigué qui vérifie quelque chose à l'écran d'un ordinateur et qui, soudain, tourne les yeux vers Sabine.

« Tu as besoin de quelque chose ? »
demande la dame.

De la tête, Sabine fait signe que non.

« Je regardais, c'est tout. »

*

Sabine se promène dans le quartier
tout l'après-midi, mais elle se sent étrangement désœuvrée. Elle passe devant le
local de l'exterminateur, dont la vitrine
est toujours aussi sale. Elle s'arrête au
supermarché où travaille la mère de Julie-
Anne et examine les caissières. La mère
de la fillette est-elle là ? Parmi les cinq
caissières, il y en a trois qui pourraient
ressembler à la photo d'elle que Sabine a
vue dans le journal. L'une des trois est trop
joyeuse pour être une mère en deuil. Mais
à quoi reconnaît-on une femme qui vient
de perdre un enfant ? D'ailleurs, même si
Sabine découvrait la mère de Julie-Anne,
aurait-elle le courage de l'approcher pour lui
poser des questions ? Mes condoléances,
madame, mais, au fait, Julie-Anne a-t-elle
déjà fréquenté la garderie *Papillon bleu* ?
Pourquoi je veux savoir ça ? Mais pour
rien, madame, pour rien, pour meubler la
conversation, tout simplement… Il fait
beau, vous ne trouvez pas ? Difficile

d'imaginer que nous sommes seulement le 3 avril… Oui, c'est sûr que ça peut encore changer, mais…

Avec un soupir, Sabine sort du super-marché. Elle a l'impression de passer son temps à soupirer, aujourd'hui.

*

« Te voilà enfin ! s'exclame Geneviève Perreault dès que Sabine met le pied dans l'appartement. Je me demandais où tu étais… »

Sabine est prise de court. Elle ne s'attendait pas à ce que la mère de Xavier soit déjà de retour. Il est à peine seize heures.

« Je… j'ai été faire un tour à la bibliothèque, balbutie-t-elle. Pour une recherche… »

Elle espère que Geneviève ne posera pas trop de questions et qu'elle ne voudra pas jeter un coup d'œil aux résultats de sa recherche. Elle aurait du mal à expliquer la présence de tous ces bonbons dans son sac à dos. S'il y a un endroit où les garçons et elle n'ont pas trouvé de machines distributrices de bonbons, c'est bien à la bibliothèque… Mais la mère de

Xavier ne semble pas vraiment intéressée par sa prétendue recherche.

« C'est bien… C'est bien. Tu as de quoi t'occuper… », dit-elle d'un air distrait. Puis elle désigne une femme assise dans le salon, que Sabine n'avait pas encore remarquée. « Je te présente mon amie Marie. Marie, c'est Sabine, une amie de Xavier qu'on héberge pour une dizaine de jours… »

Sabine tourne les yeux vers Marie et, aussitôt, elle sait qu'il s'agit de Marie Lozier, la mère de Mathieu.

À quoi reconnaît-on une mère qui vient de perdre son enfant ?

À la détresse absolue qui l'habite.

12

« Je veux du jus. »

Stéphanie n'a pas parlé plus fort que d'habitude, mais sa voix résonne comme si elle venait de crier.

Il faut dire que ce soir, chez les Perreault-Bourdon, le souper se déroule dans un silence inhabituel. Malgré les efforts déployés par Geneviève Perreault pour alléger l'atmosphère, tout le monde est douloureusement conscient de la présence de Marie Lozier au bout de la table – et de l'absence de Mathieu.

Xavier a eu un choc en voyant Marie. Il n'aurait jamais cru que quelqu'un pouvait changer autant en l'espace de quelques jours. Marie ne semble plus être que l'ombre d'elle-même. Elle est pâlie, amaigrie… Comme si elle était à moitié effacée, songe Xavier. Gommée par une douleur trop grande.

Elle a l'air hantée, se dit Sabine, qui observe Marie à la dérobée en essayant d'associer la femme joyeuse et énergique que Xavier et Jérôme lui ont décrite au fantôme silencieux qui se trouve à sa droite. Ce n'est pas évident.

« Tu peux me passer le poivre ? » demande le fantôme, et Sabine sursaute comme si elle venait d'être prise en faute. Elle allonge le bras, saisit la poivrière et la tend à Marie. Celle-ci esquisse un sourire.

« Merci », dit-elle en tournant les yeux vers Sabine. Elle a des yeux gris, très doux et très tristes, et Sabine se découvre brusquement l'envie de pleurer.

« Excusez-moi, balbutie Sabine en se levant. J'ai une poussière dans l'œil… Je reviens… »

Elle court vers la salle de bain.

*

L'atmosphère s'allège un peu après le souper. La famille de Xavier ne possède pas de lave-vaisselle, et tout le monde s'attelle au lavage de vaisselle avec bonne humeur. Stéphanie débarrasse la table avec sa mère ; Serge, le père de Xavier, lave la vaisselle ; Sabine et Marie essuient ; Xavier range la vaisselle propre…

Pendant qu'ils s'affairent ainsi, les grands-parents de Xavier font leur entrée.

« Bonsoir, la compagnie ! » lance grand-papa Marcel, toujours exubérant.

Grand-maman France, elle, s'approche de Marie et la serre dans ses bras, sans se préoccuper du linge à vaisselle humide ni du verre que la jeune femme a dans les mains.

« Quel malheur, ma belle Marie ! dit-elle à voix basse. Quel terrible malheur ! »

Marie se sent entourée, réchauffée, protégée par cette femme généreuse qu'elle connaît depuis l'adolescence et qui, pour elle, représente la mère qu'elle n'a pas eue. Elle ferme les yeux et appuie le front contre la tête de grand-maman France, qui est plus petite qu'elle, mais beaucoup plus rembourrée. Après quelques secondes, pourtant, elle s'écarte doucement de la vieille dame.

« Merci, dit-elle doucement. Merci pour tout. »

Puis elle embrasse la joue flétrie et continue à essuyer son verre.

Grand-maman France l'observe un instant, une ride soucieuse entre les sourcils. Elle se tourne ensuite vers sa fille, qui a fini de débarrasser la table et qui passe maintenant un chiffon mouillé sur celle-ci.

« Geneviève, il faut que tu m'aides. Je suis très embêtée pour mon menu de Pâques. Est-ce que je devrais faire un rôti de porc glacé parfumé au fenouil, un gigot d'agneau à la crème d'ail ou un lapin aux poires parfumé au gingembre ? L'agneau est plus approprié, il me semble, mais le lapin…

— Attends un peu. On ne va pas discuter de ça debout dans la cuisine… »

Geneviève Perreault, en souriant, pousse sa mère vers le salon, où se trouvent déjà grand-papa Marcel et Stéphanie. Son mari, qui a fini de laver la vaisselle, va bientôt les rejoindre. Dans la cuisine, il ne reste plus que Marie, Sabine et Xavier.

C'est le moment ou jamais, se dit Sabine, qui, après avoir pris une grande respiration, se tourne vers Marie.

« Je sais que tout ça est très difficile pour vous, débite-t-elle à toute vitesse, mais j'aurais des questions à vous poser. Jérôme, Xavier et moi, on a beaucoup réfléchi à ce qui est arrivé, vous savez, et… »

En quelques phrases, Sabine fait part à Marie de ses hypothèses (« ou bien Mathieu et les autres ont pris des bonbons empoisonnés dans des distributeurs, ou bien c'est quelqu'un qu'ils connaissaient tous les trois qui leur en a donné ») avant de lui poser ses questions.

« Étiez-vous à la maison quand Mathieu est venu prendre sa bicyclette, après le soccer ?

— Oui.

— Est-ce qu'il vous a parlé de quelqu'un qu'il aurait rencontré en route, ou de bonbons qu'il aurait achetés ?

— Non. »

Il n'a pas été question de bonbons, non, songe Marie, mais plutôt d'un cœur de pomme que Mathieu avait laissé traîner sur la petite table du salon. Marie se sentait d'humeur bougonne, ce jour-là – la fatigue, peut-être, ou alors la crainte de ne pas avoir un poste à temps plein, l'année suivante –, et elle avait houspillé Mathieu avec une véhémence qui l'avait étonnée elle-même. « J'en ai assez que tu me prennes pour une servante ! avait-elle crié. Tu laisses tout traîner... Tes souliers boueux au beau milieu du salon, tes chaussettes sales sous ton lit, ta boîte à lunch dans le fond du placard... J'en ai assez, m'entends-tu ? Assez ! Il va falloir que ça change, sinon... » Ce sont là les dernières paroles qu'elle a adressées à son fils. Mathieu n'a pas dit un mot. Il a pris le cœur de pomme bruni et ratatiné, et l'a jeté dans la poubelle de la cuisine. Puis il est allé jusqu'à son vélo, appuyé contre le mur du couloir, il a gonflé ses pneus, il a pris son casque et l'a posé sur son crâne avec rudesse. « Je vais faire un tour avec Jérôme », a-t-il lancé d'une voix sèche avant de sortir. Quand Marie l'a revu, il était mort, le casque posé de travers...

Pendant que Marie revit cette scène qui la hante depuis quatre jours, Sabine continue son interrogatoire.

« ... à la garderie *Papillon bleu* ? »

Marie se ressaisit.

« Excuse-moi... Je... j'étais un peu dans la lune. Qu'est-ce que tu m'as demandé ?

— Je sais que Mathieu est allé à la garderie *Papillon bleu*, répète patiemment Sabine. Savez-vous si Julie-Anne Hamel, la petite fille qui est morte il y a deux ou trois semaines, a fréquenté elle aussi cette garderie ? »

Toute à ses questions, Sabine n'a pas entendu la sonnette de la porte d'entrée. Aussi reste-t-elle saisie quand, soudain, elle aperçoit son père dans le cadre de porte.

« Papa ! » s'exclame-t-elle tandis qu'un sourire éclaire son visage. Puis elle se précipite dans ses bras.

Pierre Ross, lui, semble déconcerté. Il caresse machinalement la tête de Sabine pressée contre lui, mais son regard est fixé sur Marie Lozier, qu'il ne s'attendait vraiment pas à voir là.

« Madame Lozier... »

Celle-ci ne lui laisse pas le temps de continuer.

« Votre fille ! s'exclame-t-elle. J'aurais dû m'en douter… Des yeux si bleus avec des cheveux si noirs… Et la même façon, très directe, de poser des questions… »

Pierre Ross fronce les sourcils. Saisissant Sabine par les épaules, il l'écarte légèrement pour la regarder droit dans les yeux.

« Des questions ? demande-t-il d'une voix sévère. Quelles questions ? »

Sabine grimace. Elle sent qu'elle va passer un mauvais quart d'heure.

Marie Lozier tente de venir à sa rescousse.

« Ce n'est rien, dit-elle au détective. Je vous en prie, ne la grondez pas. Elle… »

Pierre Ross ne l'écoute même pas.

« Quelles questions ? » répète-t-il en serrant davantage les épaules de Sabine.

Marie Lozier renonce à intervenir. Elle voudrait pourtant protéger Sabine, et plus encore protéger Pierre Ross de lui-même, l'empêcher de proférer des paroles qu'il pourrait ensuite regretter. Mais elle n'a pas à s'immiscer entre Sabine et son père, elle qui a toujours détesté les gens qui se mêlent de l'éducation des enfants des autres.

Sabine décide de tout dire à son père. Elle mène cette enquête pour l'aider, après tout…

« Des questions au sujet de Mathieu ! lance-t-elle en relevant le menton. Je suis sûre que les bonbons empoisonnés ont été pris dans des distributeurs. D'ailleurs, j'ai pris des échantillons dans toutes les machines à bonbons du quartier et je les ai bien identifiés. Tu vas pouvoir les faire analyser, et… »

Elle s'interrompt d'un coup sec parce que son père est en train de la secouer avec rudesse. Elle sent ses doigts qui s'enfoncent dans ses épaules. Elle va avoir des bleus, c'est certain. Mais le pire, ce ne sont pas les doigts qui lui meurtrissent les épaules. Le pire, c'est la colère qui s'exprime dans les yeux de son père, dans son visage crispé, dans sa voix qui vibre de fureur contenue.

« Tu prends vraiment la police pour une bande d'incompétents, Sabine Ross ! Qu'est-ce que tu penses qu'on fait, depuis six semaines ? Qu'on se tourne les pouces en attendant que tu fasses l'enquête à notre place et que tu nous amènes l'assassin sur un plateau d'argent ? Imagine-toi donc qu'on a pensé aux distributeurs, nous aussi ! On sait même quels bonbons ont empoisonné les trois victimes. Ce sont des bonbons rouges, de gros jujubes givrés au centre mou qu'on retrouve dans quatorze distributeurs du Plateau. Sauf que les bonbons qui se trouvent dans les distributeurs ne sont pas empoisonnés! Depuis des semaines, nous avons tout analysé: le contenu des quatorze distributeurs, les installations des usines qui fabriquent les bonbons, les ingrédients qui entrent dans leur composition, les contenants dans lesquels les bonbons sont entreposés, les instruments qui servent à les transférer d'un contenant à l'autre... Tout, je te dis. Et nulle part on n'a trouvé la moindre trace d'hépacourine! »

Après avoir secoué une dernière fois les épaules de sa fille, Pierre Ross lâche celle-ci. Il se passe les mains dans les cheveux, secoue la tête, puis, après avoir inspiré profondément, reprend plus doucement:

« Selon toute vraisemblance, l'assassin achète ses bonbons dans des distributeurs, et ce n'est qu'après qu'il les sature d'hépacourine. Tu voudrais qu'on fasse quoi, Sabine? Qu'on arrête tous les acheteurs de bonbons? Qu'on surveille tous les distributeurs du quartier, vingt-quatre heures sur vingt-quatre, sept jours sur sept? Et si notre assassin prend ses bonbons ailleurs, hein, dans un autre quartier ou dans une autre ville ? S'il trouve le moyen de se les procurer en vrac ? »

Sabine réfléchit à toute vitesse. Elle est profondément troublée par la sortie de son père et elle ne tient pas du tout à provoquer une nouvelle colère. Mais elle ne peut pas taire la conclusion à laquelle la conduisent les révélations de son père.

« Si Mathieu et les autres n'ont pas pris les bonbons empoisonnés dans une machine, commence-t-elle d'une voix qui tremble un peu, alors c'est quelqu'un qui leur a donné ces bonbons. Et, puisqu'ils n'auraient pas accepté de bonbons d'un étranger, ça veut dire qu'ils connaissaient l'assassin… »

Sabine fait une courte pause, le temps de vérifier la réaction de son père. Celui-ci ne dit rien. Il se contente de l'observer, le visage fermé. Encouragée, Sabine poursuit.

« Alors, je pense qu'il faut chercher du côté de la garderie *Papillon bleu*. Mathieu et Andrew… »

Elle est incapable de continuer. Son père l'a reprise par les épaules et il la secoue encore plus rudement qu'avant.

« Qui t'a parlé de la garderie *Papillon bleu* ? rugit-il.

— Maxime et Dave.

— Les copains d'Andrew ?

— Oui. »

Sourcils froncés, Pierre Ross observe sa fille un moment.

« Tu sembles avoir posé beaucoup de questions à beaucoup de gens, depuis quelques jours…, dit-il d'une voix sourde. Te rends-tu compte à quel point ça peut être dangereux ? N'oublie pas qu'il y a un assassin qui rôde dans le quartier. Plus tu poses de questions, plus tu risques de tomber sur ce fou, et alors… »

Avec un soupir, il ébouriffe la tête de sa fille.

« C'est trop dangereux, ma grande.. Tiens-toi loin de tout ça.

— Mais je veux t'aider ! »

Le détective secoue la tête.

« Tu ne m'aides pas, tu ne m'aides pas du tout, en m'inquiétant comme ça. Je n'ai pas besoin de ton aide. J'ai une équipe chevronnée avec moi. C'est à nous de mener cette enquête, pas à toi. Je veux que tu cesses immédiatement toutes tes recherches. Je t'interdis d'interroger des amis ou des parents des victimes, comme je t'interdis de t'approcher des machines à bonbons, ou de la garderie *Papillon bleu*, ou de je ne sais quoi. »

Il s'interrompt un instant, et Sabine en profite pour demander :

« Alors, c'est vrai ? C'est quelqu'un de la garderie *Papillon bleu* ? »

À ce moment, Pierre Ross explose.

« Non, ce n'est pas quelqu'un de la garderie *Papillon bleu* ! Le personnel de la garderie n'a rien à voir avec toute cette histoire ! Andrew et Mathieu ont fréquenté cette garderie, c'est vrai, mais c'est un hasard, une simple coïncidence ! Ce n'est quand même pas surprenant que deux enfants du même quartier aillent à la même garderie ! Mais Julie-Anne, elle, n'a jamais mis les pieds là !

— Peut-être que…, commence Sabine.

— Julie-Anne n'a jamais mis les pieds là, continue son père. Et aucun des éducateurs de la garderie *Papillon bleu* n'a jamais travaillé à la garderie où est allée Julie-Anne. Et, avant que tu poses la question, aucun de ces éducateurs n'a jamais changé de nom, ou de sexe, ou de personnalité ! Aucun ne s'est révélé être un criminel en cavale, un pédophile refoulé ou un empoisonneur en série recherché par la police de trente-deux pays ! Il n'y a rien à trouver à la garderie *Papillon bleu* et, pour toi, il n'y a rien à trouver nulle part ailleurs ! Tu ne te mêles plus de cette affaire, un point c'est tout. »

Les éclats de voix ont évidemment alerté toute la maisonnée. Dans la cuisine, il y a maintenant Pierre et Sabine, Marie Lozier, Xavier – figé dans un coin, une pile d'assiettes dans les mains –, ses parents, ses grands-parents et sa petite sœur. Quand Pierre Ross se tait, Geneviève Perreault dit, d'une voix embarrassée :

« C'est ma faute. Je suis désolée. J'aurais dû la surveiller mieux. Mais, avec le travail… »

Xavier, dans son coin, avale avec difficulté. C'est sa faute à lui, bien sûr. Le détective lui avait pourtant demandé d'empêcher Sabine de se mêler de cette histoire.

Mais Pierre Ross secoue la tête.

« Non, ce n'est la faute de personne, sinon la mienne… J'aurais dû trouver quelqu'un d'autre pour garder Sabine, loin d'ici. Il n'est peut-être pas trop tard. Je pourrais… »

Sabine est horrifiée. Son père ne va quand même pas l'envoyer ailleurs, loin de ce lieu et de ces gens qui occupent toutes ces pensées…

Mais, avant qu'elle ait le temps de dire quoi que ce soit, la voix calme de grand-maman France se fait entendre :

« Demain, en tout cas, Sabine peut passer la journée avec moi. J'ai justement besoin de quelqu'un pour m'aider à faire mes tartes de Pâques… »

Pierre Ross hésite.

« Vous êtes sûre que ça ne vous dérange pas ?

— Au contraire, je serais ravie d'avoir la compagnie de Sabine. Et puis, comme je vous l'ai dit, elle va pouvoir m'aider à faire mes tartes… »

Pierre Ross est sceptique. Il doute que sa fille soit très utile dans une cuisine… Mais il n'a guère le choix. Il se tourne vers Sabine.

« Demain matin, tu descends chez les grands-parents de Xavier tout de suite après le déjeuner et tu restes là jusqu'à ce que Geneviève ou Serge rentre de travailler. Compris ? »

Sabine hoche la tête sans rien dire.

Pierre Ross se tourne ensuite vers les grands-parents de Xavier.

« En fait, dit-il d'une voix très neutre, je ne suis pas ici pour voir Sabine. Je suis venu en policier. Pouvons-nous descendre chez vous ? J'aurais des questions à vous poser au sujet de votre fils Louis… »

13

Geneviève Perreault est la première à réagir.

« Comment ça, des questions ? dit-elle d'une voix blanche. Tu ne veux quand même pas dire que… ? Pierre… »

À côté d'elle, grand-maman France, une main plaquée contre la gorge, répète à voix basse « Oh ! mon Dieu ! Oh ! mon Dieu ! », pendant que grand-papa Marcel, dont le visage a pris une teinte rouge brique, semble avoir du mal à respirer.

Le regard du détective va de l'un à l'autre, et son visage perd toute trace de dureté. Il s'approche de grand-maman France et lui prend les mains.

« Je suis désolé, dit-il avec douceur. Croyez-moi, je suis vraiment désolé d'avoir à vous faire subir ça. Mais nous avons reçu plusieurs appels nous conseillant de chercher l'assassin du côté de votre fils. Je suis sûr que ces soupçons ne sont pas fondés. Mais, comme vous le savez, nous vérifions systématiquement toutes les pistes… »

Grand-maman France, incapable de prononcer le moindre mot, hoche la tête à plusieurs reprises. Elle comprend, bien sûr, mais… Une larme glisse le long de sa joue. Son mari, dont le teint redevient peu à peu normal, lui tapote l'épaule d'une main tremblante.

« Ça va aller, ma France… C'est un malentendu… C'est sûrement un malentendu… »

Devant le désarroi de ces vieillards qu'il connaît depuis des années, et pour lesquels il éprouve beaucoup de respect et de tendresse, Pierre est saisi d'une brusque colère contre son métier, qui l'oblige trop souvent à blesser des innocents.

« Il vaudrait mieux descendre chez vous, répète-t-il pourtant d'une voix ferme. Nous serons plus à l'aise pour parler… »

Grand-maman France et grand-papa Marcel sortent de la cuisine, accrochés l'un à l'autre. Ils semblent avoir vieilli de dix ans en l'espace de quelques minutes.

Ils sont vieux ! se dit Geneviève Perreault pour la première fois de sa vie. Mes parents sont vieux…

Elle les rejoint en quelques enjambées et les entoure de ses bras.

« Je vais avec vous », dit-elle en les serrant bien fort.

Pierre Ross les suit en silence.

*

« Ce n'est pas vrai, hein, papa ? L'oncle Louis n'a pas tué Mathieu et les autres ? »

Xavier, qui a fini par poser sa pile d'assiettes, lève un regard rempli d'angoisse vers son père. Les dernières minutes tiennent du cauchemar. Que Mathieu, Andrew et Julie-Anne soient morts est déjà horrible. Mais s'il faut en plus que quelqu'un de sa famille soit responsable de ces morts… Xavier ferme les yeux pour tenter de combattre la panique qui monte en lui.

Serge Bourdon attire son fils contre lui et l'étreint avec force. Il fait de même avec Stéphanie, qui a suivi toute la scène avec malaise, mais sans trop comprendre ce qui se passait.

« Non, dit-il enfin en conservant un bras autour de chacun des enfants. L'oncle

Louis n'a jamais tué personne. J'en suis sûr. Tout va finir par s'arranger. »

Il pose ensuite le regard sur Marie Lozier, frêle et pâle au milieu de la cuisine.

« Tu me crois, n'est-ce pas, Marie ? Louis n'a pas tué Mathieu. »

Marie hoche la tête.

« Je te crois », dit-elle d'une voix sourde.

Même si toutes les statistiques révèlent que, généralement, les assassins font partie de l'entourage des victimes, elle refuse d'imaginer que Louis, le frère de son amie Geneviève, le fils de grand-maman France et de grand-papa Marcel, l'oncle de Xavier et de Stéphanie, ait pu faire du mal à Mathieu. Louis est bizarre, c'est sûr, il souffre de schizophrénie, ce qui lui donne une perception bien particulière de la réalité, mais il n'y a chez lui aucune trace de violence ni de méchanceté.

« Je te crois, répète-t-elle plus fort. Louis n'a pas tué Mathieu. »

Puis elle se tourne vers Sabine, qui est restée silencieuse tout ce temps, et elle a un choc en découvrant le visage de l'adolescente. Sabine semble transformée en statue. Elle est blême, rigide, immobile.

« Sabine… »

L'adolescente tressaille en entendant son nom. Un long frisson la parcourt, et elle tourne vers Marie un regard blessé, farouche. Puis, sans un mot, elle s'enfuit de la cuisine et court jusqu'à la chambre de Stéphanie, dont elle claque la porte avec fracas.

*

Pierre Ross passe plus d'une heure à interroger les grands-parents de Xavier. Un peu en retrait, leur fille ne perd rien de l'entretien, prête à intervenir si elle juge que Pierre cause une détresse démesurée aux vieillards.

Le détective commence par clarifier certains faits concernant la famille de France et de Marcel Perreault. Le couple a eu quatre enfants, dont un est mort à la naissance. Les survivants sont Louis, qui a quarante-deux ans, Geneviève, trente-six ans, et Alice, trente-deux ans.

« Geneviève et Alice habitent au-dessus, précise grand-papa Marcel.

Alice au deuxième étage, avec son amie Julie. Geneviève au troisième, avec son mari et ses enfants…

« — Et Louis ? demande le policier. Il n'habite pas ici ?

— Non. Il est dans un foyer, à cause de sa maladie.

— Et quelle est cette maladie ?

— La schizophrénie.

— Si je ne m'abuse, les schizophrènes perdent le contact avec la réalité ? »

Marcel Perreault hésite un peu avant de répondre. Où le policier veut-il en venir ?

« Oui…, finit-il par dire. Mais, en étant bien entouré et en prenant ses médicaments, Louis fonctionne bien…

— Est-ce qu'il distingue le bien du mal ? »

Sa question provoque de vives réactions chez les Perreault.

« Louis ne ferait pas de mal à une mouche ! s'exclame grand-maman France.

— Il est très calme et très doux, s'empresse d'ajouter grand-papa Marcel. Il n'a jamais montré le moindre signe de violence. »

Quant à Geneviève, elle avance d'un pas vers le policier.

« Si tu as des questions d'ordre médical, dit-elle avec froideur, tu ferais mieux de les poser à un psychiatre. Mes parents ne sont pas des experts, et tu les troubles inutilement. »

Pierre Ross lève une main en signe de capitulation. Geneviève a raison, il ferait mieux d'interroger un expert à ce sujet.

« Revenons au foyer où Louis habite. Est-ce qu'il reste là tout le temps ?

— Non, il passe une fin de semaine sur deux ici, répond grand-maman France. Nous allons le chercher le samedi matin, et nous le ramenons le dimanche après le souper.

— Était-il ici la fin de semaine dernière ?

— Oui. »

Pierre Ross consulte son agenda. Louis était dans la maison de l'avenue De Lorimier les 30 et 31 mars, et Mathieu est mort le 30 mars…

« Remontons un peu dans le temps, dit-il. Puisque vous me dites que Louis est ici une fin de semaine sur deux, je suppose qu'il était également ici les 16 et 17 mars… »

Et Julie-Anne est morte le 16 mars, songe-t-il sans le dire.

« Attendez, dit grand-maman France. Je note toujours les visites de Louis sur le calendrier de la cuisine. Je vais aller le chercher... »

Elle s'absente un instant.

« Louis était ici le 16 et le 17 mars, confirme-t-elle à son retour. Avant ça, il était venu les 2 et 3 mars, les 16 et 17 février, les 2 et 3 février... »

D'un geste, Pierre Ross interrompt l'énumération.

« Arrive-t-il parfois que Louis vienne ici à d'autres occasions ? Pour des fêtes, par exemple, ou des anniversaires ? »

Grand-maman France hoche la tête.

« Oui, bien sûr que ça arrive. Il n'est quand même pas en prison... Il va venir à Pâques, dimanche prochain, même si ce n'est pas une fin de semaine où il devrait être ici.

— Et à la Saint-Valentin ? demande Pierre Ross. Était-il ici à la Saint-Valentin, le 14 février ? »

Geneviève Perreault laisse échapper une exclamation. Le 14 février, c'est le jour où est mort le petit joueur de hockey. Grand-maman France, elle, consulte son calendrier.

« Non, sûrement pas... Je n'ai rien noté.

— Il n'était pas ici, confirme son mari. Tu te souviens, il y a eu une petite fête, au foyer, et Louis nous a dit qu'il avait mangé du gâteau au chocolat. Du bon gâteau au chocolat en forme de cœur…

— Tu as raison, oui ! dit grand-maman France avec un sourire attendri. Il aime tellement le gâteau au chocolat. »

Pierre Ross ne peut s'empêcher de sourire, lui aussi. Il se souvient d'une scène complètement absurde, quelques années plus tôt, quand Xavier lui avait téléphoné en pleine nuit en hurlant qu'il y avait un bandit chez ses grands-parents. Il avait tout juste pris le temps d'enfiler un imperméable par-dessus son pyjama et, le revolver au poing, il s'était précipité chez ses vieux voisins. « Police ! Que personne ne bouge ! » avait-il crié avant de se rendre compte que les grands-parents de Xavier ne couraient aucun danger. Ils étaient attablés devant un gros gâteau au chocolat en compagnie d'un homme à l'air doux et perdu qui répétait à tout moment : « Il y a du gâteau au chocolat. C'est bon, du bon gâteau au chocolat… » Ç'avait été son premier contact avec Louis Perreault.

« Vous êtes bien sûrs que Louis n'était pas ici le 14 février ? insiste-t-il pourtant.

Peut-être la petite fête a-t-elle eu lieu la veille, ou alors le lendemain ? »

Mais les vieillards secouent la tête à l'unisson.

« Non, la fête a bien eu lieu le 14 février. Louis n'était pas ici ce jour-là. »

Pierre Ross veut les croire. Il ne demande qu'à croire à l'innocence de Louis Perreault. Mais il doit faire son métier consciencieusement. Il se promet donc de vérifier auprès du foyer où vit Louis la date de la petite fête et la présence de Louis à cette fête. Puis, il aborde une autre série de questions.

« Louis prend-il des anticoagulants ou est-il en contact avec des gens qui en prennent ? »

Dans son coin, Geneviève Perreault pousse un grand soupir. La soirée s'annonce longue. Longue et pénible.

*

Sabine fait semblant de dormir quand Stéphanie vient se coucher, un peu plus tard. Elle serait incapable de supporter le bavardage de la fillette, le récit détaillé de ses activités et des exploits de la merveilleuse Juliette.

Recroquevillée dans son lit de camp, elle-même n'est qu'une boule de détresse, misérable et abandonnée. Jamais son père ne lui a parlé sur ce ton, jamais il n'a porté la main sur elle, jamais il ne l'a regardée avec des yeux aussi durs. Et elle qui ne voulait que l'aider…

Il a écarté du revers de la main toutes ses découvertes des derniers jours. Les distributeurs de bonbons, la garderie *Papillon bleu*… Il a piétiné ses hypothèses, anéanti tous ses espoirs. Il lui a fait sentir à quel point elle est stupide et incompétente. Nulle, nulle, nulle.

Et ce n'était même pas elle qu'il venait voir.

*

Marie Lozier attend le retour de son amie Geneviève avant de rentrer chez elle.

« Alors ? » s'exclame-t-elle en même temps que Serge Bourdon lorsque la porte s'ouvre enfin.

Puis ils se taisent tous les deux en voyant Pierre Ross entrer à la suite de Geneviève. Me voici dans le camp ennemi, se dit le policier, conscient de leur froideur. Ils ne sont pas ouvertement hostiles, non, mais ils se méfient. J'en ferais autant à leur place.

« Est-ce que Sabine est encore debout ? » demande-t-il en ne s'adressant à personne en particulier.

C'est Marie Lozier qui lui répond.

« Je crois qu'elle dort », dit-elle.

En fait, elle est certaine que Sabine ne dort pas, mais qu'elle refuserait de voir son père. Aussi bien leur éviter à tous deux une scène pénible.

Pierre Ross a l'air désemparé, tout à coup. Il n'a plus rien du policier efficace et sûr de lui que Marie a vu jusque-là. Et la flambée de colère qui l'a habité quelques heures plus tôt a complètement disparu.

« Pour elle aussi, je suis l'ennemi, murmure-t-il en passant une main lasse dans ses cheveux en désordre. Dans ce cas… »

Il hausse les épaules, puis, après un dernier regard vers Marie, il ouvre la porte et disparaît.

« Est-ce qu'il lui arrive d'être bien coiffé ? »

À peine a-t-elle posé cette question que Marie se sent rougir. Quelle remarque idiote ! Mais Geneviève éclate de rire.

« Jamais ! dit-elle. Mais ça lui va tellement bien ! » Elle reprend son sérieux.

« Pauvre Pierre, la situation n'est pas facile pour lui…

— Ça s'est passé comment, au fait ? demande son mari. Il n'a pas trop malmené tes parents ? »

Geneviève secoue vaguement la tête en haussant les épaules.

« Je ne sais pas trop. Mes parents l'ont assuré que Louis n'était pas ici au moment d'un des empoisonnements. Et ils lui ont expliqué en long et en large que Louis n'a jamais été du genre scientifique et qu'il serait bien incapable de trafiquer des bonbons avec un anticoagulant – à supposer même qu'il sache ce qu'est un anticoagulant… Mais je ne crois pas que Pierre ait éliminé Louis de sa liste de suspects pour autant… » Elle hausse les épaules encore une fois et regarde Marie bien en face. « Peu importe l'opinion de Pierre Ross, je suis persuadée que Louis n'a pas tué Mathieu. »

Marie esquisse un pâle sourire.

« Je sais, dit-elle. Je sais. »

*

Serge Bourdon lui a proposé de la raccompagner en voiture, mais Marie a préféré marcher.

« L'air frais va me faire du bien », a-t-elle dit.

Et puis, aurait-elle pu ajouter, ça va retarder de dix minutes mon retour à la maison. C'est toujours ça de pris.

Depuis quatre jours, elle tourne à vide entre les murs de son appartement. Elle n'arrive plus à dormir, ni à manger, ni à lire. Même la musique lui est insupportable. Tout lui est insupportable, sauf le ménage. Alors, depuis quatre jours, elle astique, nettoie, lave, époussette, balaie... Jour et nuit, elle s'épuise à la tâche, dans l'espoir insensé d'en arriver à effacer tout souvenir, toute douleur. Mais il n'y a rien à faire. Quand, abrutie de fatigue, elle sombre dans un sommeil de plomb, c'est pour retrouver sa peine plus vive encore au réveil.

C'est chaque fois pareil. Elle émerge du sommeil avec une vague impression de malaise. Puis, d'un coup, la réalité lui revient, et la douleur. C'est vrai, c'est bien vrai. Mathieu est mort. Et, chaque fois, un gémissement de bête blessée s'échappe de sa gorge. Son enfant. Son tout-petit.

Il y a longtemps, alors qu'elle était encore adolescente, Marie avait lu et relu un livre qui l'avait profondément marquée : *Le Prophète*, de Khalil Gibran. Elle avait souligné de nombreux passages, en avait appris d'autres par cœur. « Vos enfants ne sont pas vos enfants, disait Gibran. Ils arrivent à travers vous mais non de vous. Et quoiqu'ils soient avec vous, ils ne vous appartiennent pas. » À l'époque, elle avait cru comprendre ce que cela signifiait. Plus tard, quand Mathieu était né, elle s'était répété ces paroles en se jurant de ne pas considérer Mathieu comme faisant partie d'elle. Il était un être à part entière. Et elle, comme mère, devait l'aider à devenir autonome, à vivre sa propre vie. Elle devait s'habituer à l'idée qu'il la quitte un jour. Mais pas comme ça, gémit-elle ce soir. Pas maintenant.

Quand la peine est trop forte, quand Marie n'a envie que de hurler en se jetant contre les murs, elle tente de se rassurer en se disant qu'au moins Mathieu n'a pas été torturé ni agressé sexuellement, qu'il n'a pas souffert trop longtemps, qu'il n'a pas eu peur trop longtemps. Elle-même a vite été fixée sur son sort. La nouvelle de sa mort a été atroce, mais l'absence de nouvelles aurait été plus atroce encore. Comment font les mères des enfants disparus pour ne pas perdre la raison à force d'inquiétude et de douleur ?

Et puis, Marie arrive devant chez elle et, comme chaque fois, une idée folle, absolument insensée fait battre son cœur plus vite. Elle espère contre tout espoir trouver des chaussures boueuses dans le couloir, un cœur de pomme sous un lit, des miettes de biscuits ou de chips sur le canapé du salon… Mais l'appartement est remarquablement propre et brillant, sans une trace de poussière, sans une miette. Et effroyablement vide.

Au moment où Marie arrive dans la cuisine, Grisoune, la petite chatte grise, vient se frotter contre ses jambes. Marie la prend dans ses bras et enfouit son visage dans la fourrure épaisse.

« Qu'est-ce qu'on va faire, Grisoune ? Qu'est-ce qu'on va faire ? »

Jour 5

4 avril
Jeudi saint – la Dernière Cène

Sauve-moi, ô Dieu, car les eaux
me sont entrées jusqu'à l'âme.

J'enfonce dans la boue du gouffre,
et rien qui tienne;
je suis entré dans l'abîme des eaux
et le flot me submerge.

Je m'épuise à crier, ma gorge brûle,
mes yeux sont consumés d'attendre mon Dieu.

(*Psaume* 68, traditionnellement chanté pendant
l'office du Jeudi saint, versets 2-4)

14

Des tartes, encore des tartes, toujours des tartes…

Y a-t-il quelque chose de plus frustrant, quand on rêve de poursuivre des assassins, que de passer sa journée à faire des tartes, attifée d'un tablier trop grand et la tête recouverte d'un horrible filet ?

« Tous les chefs qui se respectent couvrent leurs cheveux », a dit grand-maman France.

Tous les chefs qui se respectent doivent avoir l'air de parfaits imbéciles, a songé Sabine en s'observant dans un miroir. Pourvu que personne ne la voie ainsi ! Elle imagine les sarcasmes dont ne manquerait pas de l'abreuver Jérôme…

Pourtant, malgré sa frustration, Sabine prend rapidement plaisir à être dans la cuisine de grand-maman France. Une cuisine

grande et claire, chaude et parfumée. Oh!
les odeurs de vanille, de chocolat, de
pommes caramélisées, de poires pochées,
d'amandes grillées ou de confitures d'abri-
cots!

« D'abord, a dit grand-maman France,
nous allons préparer notre pâte. Une pâte
brisée, fine et dorée... »

Sabine, à sa grande honte, a dû avouer
qu'elle n'avait aucune idée de la façon
dont on fait de la pâte à tarte. Elle ne
connaît que les tartes achetées ou celles
que l'on confectionne en versant un
mélange déjà préparé dans une croûte à
tarte congelée...

« Il est donc temps que tu apprennes »,
a simplement déclaré grand-maman
France avec un beau sourire.

Farine, sel, beurre doux coupé en dés,
eau glacée... Bien doser les ingrédients,
tamiser la farine et le sel, ajouter le beurre,
pétrir du bout des doigts, abaisser...
Sabine se concentre en fronçant les sourcils. Ce n'est pas simple, préparer une pâte
brisée. Peu à peu, cependant, elle commence à se détendre. Elle oublie sa nuit
d'insomnie entrecoupée de fragments de
rêves pénibles. Elle oublie son père et sa
flambée de colère...

Elle n'oublie pas l'enquête, cependant, ni le fait que l'assassin risque de sévir de nouveau. Et, tout en pétrissant la pâte, elle se demande de quel côté chercher, maintenant qu'elle doit abandonner les pistes des machines à bonbons et de la garderie *Papillon bleu*.

Elle se sent bien impuissante, au fond de sa cuisine. Et ce ne sont pas Jérôme ni Xavier qui peuvent l'aider. Ils sont en répétition toute la journée et, le soir, doivent rester à l'Oratoire pour l'office du Jeudi saint. Le lendemain, ils vont chanter aux funérailles de Mathieu le matin et participer à l'office du Vendredi saint l'après-midi. Le samedi... Sabine ne sait pas trop ce qu'ils vont faire le samedi, mais elle suppose qu'ils auront de quoi s'occuper.

« Maintenant, dit grand-maman France, nous allons garnir nos croûtes. Les pommes caramélisées dans celle-ci, les poires pochées dans celle-là... »

*

Pendant que sa fille découvrait les subtilités de la pâte brisée, Pierre Ross s'est rendu au foyer Saint-Vincent, où la responsable a confirmé que leur petite fête de la Saint-Valentin avait bien eu lieu le 14 février et que Louis Perreault n'avait pas quitté le foyer ce jour-là. Cela n'a pas étonné le détective, qui avait beaucoup de mal à imaginer Louis en assassin. Mais il ne fallait négliger aucune piste, comme disait toujours le commandant Saulnier, le chef du Centre opérationnel nord, où est postée l'équipe de Pierre Ross pour la durée de l'enquête sur le maniaque au poison.

Justement, Saulnier intercepte celui-ci à son arrivée au C. O.

« Il y a du nouveau. Réunion spéciale dans la salle de conférences dans dix minutes. Rassemble les membres de ton équipe.

— Santini est à la garderie *Papillon bleu* pour éplucher encore une fois la liste de tous les enfants qui l'ont déjà fréquentée. Et Gingras est à l'hôpital : sa femme est sur le point d'accoucher.

— Dis aux autres de venir. »

Il faut bien quinze minutes avant que l'équipe soit réunie, et Saulnier montre des signes d'impatience pendant que la demi-douzaine d'hommes et de femmes prennent place autour de la grande table.

« L'assassin s'est manifesté, commence-t-il sans autre préambule quand tout le monde est enfin installé. Il a téléphoné à Reggie Jodoin, le reporter de CINK que tous les bandits de la ville semblent avoir choisi comme confident. Voici l'enregistrement. »

Il appuie sur une touche du magnétophone posé devant lui.

« Andrew, Julie-Anne, Mathieu…, dit une voix étouffée mais cependant distincte. Jamais trois sans quatre… La prochaine victime pourrait bien être la petite Virginie, de la rue Ontario. Ou encore Caroline, de la rue Sainte-Catherine… Elles ont toutes les deux un faible pour le rouge. Rouge bonbon. Rouge poison… Plus de détails dans le journal. »

Saulnier arrête le magnétophone.

« C'est notre homme, dit aussitôt la sergente-détective Sophie Nguyen. Il est le seul, à part nous, à savoir que l'hépacourine est contenue dans des bonbons rouges. »

Les autres approuvent, à l'exception de Pierre Ross, qui songe que Sabine connaît ce détail, elle aussi, comme elle connaît pas mal de choses. Trop de choses au goût de son père, qui éprouve un troublant mélange d'amour, d'inquiétude et d'exaspération quand il pense à elle. Il adore sa fille, mais il la trouve curieuse, imprudente et inconsciente. Il doit reconnaître qu'elle est aussi intelligente, débrouillarde, tenace et courageuse… mais ce n'est pas nécessairement rassurant.

Il se secoue mentalement. Ce n'est pas le temps de penser à Sabine. Autour de lui, l'excitation de l'équipe est palpable.

« Enfin quelque chose de concret ! s'exclame Bruno Jutras.

— C'est vrai qu'on commençait à tourner en rond, dit François Jean-Baptiste.

— L'assassin est trop sûr de lui. Il ne peut pas s'empêcher de nous narguer, fait remarquer Sophie Nguyen.

— Et c'est ce qui va causer sa perte… », conclut Roch Saint-Jacques avec emphase.

Pierre Ross secoue la tête d'un air sombre.

« Je n'aime pas ça…, dit-il. Ça me semble trop beau pour être vrai. J'ai peur que ce ne soit une façon de détourner notre attention… Virginie, de la rue Ontario ; Caroline, de la rue Sainte-Catherine… C'est trop précis… et trop loin de son territoire habituel. Il voudrait nous éloigner du Plateau pour pouvoir y sévir en paix qu'il ne s'y prendrait pas autrement. Pourquoi changerait-il de quartier, tout à coup ?

— Pourquoi pas ? réplique Roch Saint-Jacques. Il veut changer d'air, ou alors étendre son territoire. C'est normal, de vouloir prendre de l'expansion ! »

Pierre Ross secoue la tête.

« Je n'aime pas ça, répète-t-il. Je n'aime pas ça du tout. Et je continue à penser que c'est un piège.

— Non ! affirme Roch Saint-Jacques. C'est simplement le cas classique de l'assassin qui ne supporte plus d'être dans l'ombre et qui se vante de ses exploits parce qu'il est convaincu d'être plus fort que nous, plus intelligent. Il nous nargue, comme a dit Sophie.

— Je pense comme Roch, dit Julie Sauvé-Simard. Ils font tous ça, tôt ou tard. Ils ne peuvent pas s'en empêcher.

— C'est aussi mon avis », indique Sophie Nguyen.

Seul Bruno Jutras penche du côté de Pierre Ross.

« C'est vrai que ça pourrait être un piège, dit-il. Il ne faudrait pas abandonner les autres pistes pour ne s'occuper que de ce message.

— Quelles autres pistes ? demande Roch Saint-Jacques d'une voix sarcastique. Nos interminables listes de ceci et de cela ? On tourne en rond avec nos listes !

— De toute façon, intervient le commandant Saulnier, on ne peut pas se permettre de négliger ce message sous prétexte que ce pourrait être un piège ou une fausse piste. Il faut protéger Virginie, de la rue Ontario, et Caroline, de la rue Sainte-Catherine. Et trouver l'assassin le plus rapidement possible. D'ailleurs, grâce à l'enregistrement, nous le connaissons déjà mieux. Il a parlé à travers un filtre, c'est évident, mais nous pouvons quand même déduire qu'il s'agit d'un homme adulte, vraisemblablement Québécois d'origine, qui s'exprime avec aisance… J'ai transmis l'enregistrement au spécialiste en voix du Laboratoire de police scientifique. Il devrait pouvoir ajouter d'autres détails, dont je vous ferai part dès que je les aurai. En attendant, messieurs, je vous laisse élaborer votre plan d'intervention… »

Il se lève et quitte la pièce – pendant que Sophie Nguyen et Julie Sauvé-Simard claironnent : « Messieurs *et* mesdames ! », comme d'habitude.

*

« Saint-Jacques et Jean-Baptiste, vous épluchez les journaux à la recherche de quelque chose qui peut avoir un lien avec les victimes passées ou à venir, avec un poison, un anticoagulant, de l'hépacourine, des bonbons rouges... Allez au dépanneur du coin et prenez tous les journaux que vous trouverez. Les quotidiens, les hebdos de quartier, les journaux de vedettes... Tout. »

Pierre Ross se tourne ensuite vers les autres détectives.

« Quant à nous, messieurs *et* mesdames, nous allons tenter de trouver et de protéger toutes les Virginie de la rue Ontario et toutes les Caroline de la rue Sainte-Catherine...

— Encore heureux que ces deux rues soient dans le même coin, marmonne Julie Sauvé-Simard.

— Oui, dit Bruno Jutras. Mais il aurait quand même pu en choisir des plus courtes. Ces rues-là traversent pratiquement la ville d'est en ouest... »

Pierre Ross déploie une carte détaillée de la ville de Montréal au milieu de la table.

« On est cinq, dit-il. On va donc partager le territoire couvert par les rues Ontario et Sainte-Catherine en cinq, en tenant compte des différents quartiers qu'elles traversent. Puis, on va trouver toutes les écoles et toutes les garderies qui desservent chacun de ces secteurs et on va éplucher leurs listes afin de découvrir toutes les Virginie et toutes les Caroline possibles. On va ensuite vérifier l'adresse de chacune, avertir leurs parents... et surveiller de près toutes ces fillettes en espérant que le maniaque à l'hépacourine n'a pas déjà sévi et qu'on le verra donner des bonbons rouges à sa petite victime...

— Et on dispose de combien de temps, pour faire tout ça ? demande Sophie Nguyen quand Pierre se tait enfin.

— Ce devrait déjà être fait. Au travail ! Sophie, tu vas prendre l'extrémité ouest, de Victoria à...

— Attends, attends ! l'interrompt Julie Sauvé-Simard. Il me semble qu'il y a des trous, dans ta méthode. Qu'est-ce qui se passe si une Virginie ou une Caroline ne fréquente pas l'école de son quartier ? Si elle va dans une école spécialisée ou une école privée située loin de chez elle... Ou si l'assassin décide de changer la couleur de ses bonbons, pour une fois ?

— On pourrait lancer un avertissement général à la population, suggère Bruno Jutras.

— Et, du même coup, perdre ce qui est peut-être notre unique chance d'attraper l'assassin ? rétorque Pierre Ross. On veut protéger les Virginie et les Caroline, oui, mais on veut aussi arrêter l'assassin, imagine-toi donc. Sinon, ce sont d'autres Virginie, d'autres Caroline, des Alexis et des Simon qui vont être en danger. » Il fourrage sauvagement dans une chevelure déjà très emmêlée puis se tourne vers Julie. « Je sais qu'il y a des failles dans ma méthode, dit-il. Mais je ne vois rien de mieux pour l'instant. Je reprends donc : Sophie, tu couvres l'extrémité ouest jusqu'à Saint-Urbain ; Julie, tu prends de Saint-Urbain à Saint-Hubert ; Jutras... »

Avant de quitter la pièce, Julie Sauvé-Simard jette un dernier regard à la carte déployée sur la table.

« J'espère juste qu'il n'y a pas trente-deux Virginie et cinquante Caroline, murmure-t-elle d'une voix découragée. J'ai déjà entendu parler de la multiplication des pains, jamais de celle des officiers de police... »

*

Jeudi soir, vingt heures trente. De retour au Centre opérationnel pour faire le point, Pierre Ross est au bord du découragement.

Les recherches dans les journaux n'ont rien donné. (« Continuez », a dit Ross quand Roch Saint-Jacques et François Jean-Baptiste lui ont présenté leur rapport. « Recommencez. Procurez-vous d'autres journaux. Demandez du renfort. Faites ce que vous voulez. Mais trouvez quelque chose. ») Par contre, les Virginie et les Caroline augmentent (ils ont déjà découvert quatre Virginie rue Ontario et deux Caroline rue Sainte-Catherine), mais ils sont loin d'avoir terminé leurs recherches, qui vont sans doute se poursuivre toute la nuit. Pourvu que l'assassin ne frappe pas avant…

De toute façon, se dit Pierre Ross pour tenter de se réconforter, ce type nous mène probablement en bateau. En ce moment, il doit être mort de rire en nous imaginant en train de lire et de relire la moindre feuille de chou, et de chercher d'hypothétiques Virginie et Caroline.

Avant de retourner à celles-ci, le détective aimerait bien parler à Sabine, sa Sabine à lui, très réelle et pas du tout hypothétique.

Il décroche le téléphone, compose un numéro…

« Vous êtes bien chez les Perreault-Bourdon, dit la voix de Xavier. Nous ne pouvons vous parler pour l'instant. Laissez-nous un message, nous vous rappellerons dès que possible.

— Bonsoir, c'est Pierre Ross. J'aurais aimé parler à Sabine… »

Il raccroche, plus déçu qu'il ne veut se l'avouer. Chez les grands-parents, peut-être ?

« Bonjour. Ayez la gentillesse de nous laisser un message… »

Avec une exclamation de dépit, le détective repose le récepteur. Il aurait vraiment voulu parler à Sabine. Entendre sa voix, vérifier son humeur, s'assurer qu'elle ne lui en veut pas trop… Il néglige vraiment sa fille, depuis quelque temps. Et, la seule fois où il l'a vue, il l'a rudoyée. Pierre a honte de s'être emporté de la sorte, d'avoir secoué Sabine aussi durement.

Décidément, se dit-il en retournant à ses Virginie et à ses Caroline, je ne suis peut-être pas très doué comme détective, ces jours-ci, mais je suis encore plus nul comme père.

Dans la crypte de l'oratoire Saint-Joseph, Sabine assiste à l'office du Jeudi saint en compagnie des Perreault-Bourdon. Xavier, lui, se trouve dans le chœur avec les autres Petits Chanteurs.

Sabine met rarement les pieds à l'église. Et c'est la toute première fois qu'elle assiste à une cérémonie religieuse à l'Oratoire, où chante pourtant Xavier depuis trois ans.

« J'aime mieux quand c'est dans la grande église en haut, lui chuchote Stéphanie à l'oreille. C'est plus beau. »

Sabine n'a jamais vu la basilique, aussi n'est-elle pas en mesure de comparer. Mais elle aime beaucoup l'endroit où ils se trouvent. L'église est sombre et plutôt petite, mais il s'en dégage une impression de paix, de recueillement. Les yeux fermés, Sabine se laisse bercer par les textes et les chants, dont plusieurs sont en latin. Elle a beau ne pas en saisir les paroles, elle est sensible à l'immense tristesse qui s'en dégage. De temps en temps, elle ouvre les yeux et jette un regard vers Xavier, dont les traits sont flous à cette distance.

Au début de la cérémonie, l'entrée des Petits Chanteurs en longue procession l'a étrangement émue. Elle a trouvé Xavier différent – digne, grave... et très beau, a-t-elle réalisé en se sentant rougir.

« À côté de Xavier, c'était la place de Mathieu », a chuchoté Stéphanie à côté d'elle.

Ce n'est qu'à ce moment que Sabine a remarqué que tous les garçons défilaient deux par deux, sauf Xavier. Il doit se sentir tellement seul ! a-t-elle pensé. Quelques rangs plus loin se trouvait Jérôme, qui lui a fait un petit signe.

« Le Seigneur Jésus, la nuit où il était livré, prit du pain et, après avoir rendu grâce, le rompit et dit : "Ceci est mon corps..." »

Sabine se lève, s'agenouille, lit des bouts de prières, laisse les chants la bercer.

Elle se demande où est son père et ce qu'il fait.

*

« *Salvum me fac, Deus...* » Sauve-moi, ô Dieu, car les eaux me sont entrées jusqu'à l'âme. J'enfonce dans la bourbe du gouffre, et rien qui tienne...

Xavier n'a jamais chanté avec autant de conviction les premiers versets du psaume 68, qui font partie du premier nocturne du Jeudi saint.

Normalement, il ne se préoccupe pas de connaître le sens précis de ce qu'il chante. Il lui suffit de savoir si c'est un chant triste ou joyeux, et à quelle circonstance il s'applique. Mathieu, par contre, ne pouvait supporter de ne pas savoir ce qu'il chantait. Aussi, la semaine précédente, avait-il consulté sa mère pour trouver la traduction française des textes qu'ils chanteraient pendant la semaine sainte. Marie, qui faisait elle-même partie d'une chorale depuis des années, et qui possédait une collection impressionnante de disques, de partitions et de livres sur la musique, lui avait fourni tout ce qu'il voulait.

« C'est vraiment pas joyeux », avait commenté Xavier en découvrant ces textes qui parlaient de douleur et de larmes, de ténèbres et de mort.

Et voilà qu'à présent ces mots terribles prennent tout leur sens.

« *Tristis est anima mea usque ad mortem…* » Mon âme est triste jusqu'à la mort…

Xavier a vraiment l'âme triste. Son ami Mathieu lui manque. Il lui manque beaucoup.

Jour 6

Puisque la vie m'est en dégoût,
je veux donner libre cours à ma plainte,
épancher l'amertume de mon âme.

(Job, 10,1)

15

Même les yeux fermés, je reconnaîtrais cette église à son odeur, songe Sabine. Une odeur dans laquelle se mêlent l'encens, la cire des cierges et des lampions, les produits de nettoyage... Mais peut-être les églises ont-elles toutes la même odeur? Comment savoir?

De retour dans la crypte pour les funérailles de Mathieu, Sabine observe les lieux, qui lui sont déjà plus familiers. L'église est aux trois quarts vide, mais, dans l'assistance, l'émotion est intense. Les personnes présentes ont connu et aimé Mathieu, et elles sont là pour un dernier adieu.

Marie Lozier, très droite, est assise dans la première rangée. Près d'elle se trouve son amie Geneviève, la mère de Xavier. Toute la famille Perreault-Bourdon est d'ailleurs présente, à l'exception de Louis, dont Sabine se demande soudain s'il est toujours considéré comme suspect. Xavier est dans le chœur, avec Jérôme et les autres Petits Chanteurs.

Sabine aperçoit son père, à l'avant de l'église, qui surveille la foule discrètement. Hier soir, en rentrant de l'Oratoire, elle a trouvé son message sur le répondeur. Quelques mots, sans plus, et pourtant elle a eu l'impression qu'il était triste. À moins qu'il n'ait été que fatigué... Elle ne connaît pas les autres personnes de l'assistance. Elle suppose qu'il doit y avoir des amis de Marie, des collègues, des parents d'élèves peut-être. Les professeurs des Petits Chanteurs, certains parents de ceux-ci... Qui d'autre ? Des voisins ? Des curieux ? L'assassin lui-même ? On dit souvent que l'assassin revient sur les lieux du crime, que les pyromanes prennent plaisir à observer – et parfois même à combattre – les incendies qu'ils ont allumés. Pourquoi l'assassin n'assisterait-il pas aux funérailles de ses victimes ? Est-ce pour cette raison que son père est sur les lieux ? Espère-t-il découvrir l'assassin ?

*

« Taedet animam meam vitae meae… »

Marie, pour les funérailles de son fils, a choisi des extraits du *Requiem* composé en 1605 par Tomás Luis de Victoria pour les services funèbres de l'impératrice Marie d'Autriche. Elle tenait surtout au prélude composé sur un texte de Job, et qui traduit si justement la douleur, la colère et l'amertume qu'elle n'arrive pas à exprimer.

Puisque la vie m'est en dégoût,
je veux donner libre cours à ma plainte,
épancher l'amertume de mon âme…

Derrière Marie, quelqu'un sanglote. Quelqu'un d'autre se mouche bruyamment. Pourquoi ces gens pleurent-ils, alors qu'elle-même est incapable de verser la moindre larme ?

Six jours plus tôt, en découvrant le corps sans vie de Mathieu, elle a poussé un hurlement terrible, un cri de bête blessée qui a déchiré la nuit avant d'être enterré par le fracas d'un train qui passait juste à côté. Mais elle n'a pas pleuré. Pas une seule fois. Elle qui a l'impression de contenir un torrent de larmes n'en a pas versé une seule. Toutes ces larmes refoulées finiraient sans doute par la noyer s'il n'y avait pas la musique, et les textes terribles et beaux des jours saints. Les cris qu'elle étouffe, Jérémie, Job et d'autres ont su les clamer à la face du monde, sinon à celle de Dieu Lui-même.

« *Dies irae, dies illa…* » Jour de fureur, jour d'épouvante ; fin du monde en cendres fumantes…

Marie est sensible à tout ce qui est colère et détresse, mais les mots de consolation ricochent sur elle sans l'atteindre. Elle est inconsolable. Elle n'imagine même pas pouvoir être consolée un jour.

« Seigneur Jésus, Tu as permis que celui-là même qui vient de nous quitter soit aujourd'hui celui qui nous rassemble. Nous étions dispersés par notre travail et nos occupations, nous les avons laissés pour nous unir à la peine les uns des autres… »

L'officiant parle longtemps. Mathieu mort à cette vie pour mieux renaître dans le Christ. La foi et l'espérance. La vie, la vie éternelle…

« *Requiem aeternam dona eis, Domine, et lux perpetua luceat eis…* » Donne-leur, Seigneur, le repos éternel, et que la lumière brille à jamais sur eux…

Marie n'essaie même pas de suivre le déroulement de la messe. Quand arrive la communion, elle se lève, va à l'avant de la crypte et tend la main, dans laquelle le prêtre dépose l'hostie, qu'elle porte à sa bouche avant de faire demi-tour pour retourner à sa place. Elle a chaud, beaucoup trop chaud. Elle se sent mal, tout à coup. Pourvu qu'elle ne tombe pas...

En panique, elle agite la tête à gauche, à droite. Elle manque d'air. Elle va vraiment se trouver mal. Soudain, un regard croise le sien, et Marie s'accroche à ce regard comme on s'accroche à une bouée. C'est un regard très bleu sous d'épais sourcils noirs. Un regard ferme, solide, dans lequel Marie puise suffisamment de force pour retrouver ses esprits et son équilibre. Sa respiration se calme, le sol se stabilise sous ses pieds...

Elle revient à sa place. Quand elle tourne la tête pour retrouver le regard qui l'a soutenue, celui-ci a disparu. Marie fouille sa mémoire. Elle connaît ce regard, ces yeux si bleus...

« *Versa est in luctum cithara mea* », chante doucement le chœur pendant que l'assemblée suit le cercueil de Mathieu à la fin de la messe. Ma harpe est accordée aux chants de deuil, ma flûte à la voix des pleureurs. Laisse-moi, mes jours ne sont qu'un souffle !

Ce n'est qu'en arrivant dehors que Marie se rappelle à qui appartient ce regard. C'est celui du détective, le père de Sabine. Pierre Ross.

*

Au cimetière, Sabine frissonne dans son blouson trop mince. Le temps doux qui durait depuis près d'une semaine n'est plus qu'un souvenir. Dans la nuit, la température a baissé d'une dizaine de degrés, un vent froid s'est levé, de lourds nuages gris ont envahi le ciel.

« Un vrai temps de Vendredi saint, dit une femme près de Sabine.

— Un vrai temps d'enterrement », réplique son compagnon.

Deux hommes en noir ouvrent l'arrière du corbillard et en retirent le cercueil de Mathieu, qu'entourent aussitôt huit garçons de sa classe, dont Xavier et Jérôme. Les garçons saisissent les poignées de bronze qui se trouvent de chaque côté du cercueil, quatre à gauche et quatre à droite, puis ils avancent entre les tombes jusqu'à l'endroit où sera inhumé Mathieu. Le trou est déjà creusé, mais il est surmonté d'une espèce de tréteau recouvert de gazon artificiel sur lequel les garçons déposent le cercueil. Celui-ci ne sera mis en terre qu'après le départ des parents et des amis.

Marie dépose une gerbe de fleurs blanches sur le cercueil. Un des hommes en noir récite une dernière prière.

« Notre Père qui es aux cieux… »

Sabine grelotte. Elle espère que les prières seront brèves et que les adieux ne s'éterniseront pas. Marie est effroyablement pâle. Elle a les lèvres bleuies par le froid et elle se frotte les mains sans arrêt, comme si elle n'arrivait pas à les réchauffer.

« Que ta volonté soit faite… »

Soudain, du coin de l'œil, Sabine perçoit un mouvement brusque, qui tranche avec l'immobilité et le recueillement de l'assistance. Elle tourne la tête juste à temps pour voir une collègue de son père s'approcher vivement de celui-ci et lui tendre un journal grand ouvert, dans lequel elle désigne quelque chose du doigt. Pierre Ross regarde le journal, puis il le referme et le plie en deux. Sa collègue et lui s'éloignent à toute vitesse.

« Et ne nous soumets pas à la tentation,
Mais délivre-nous du mal. »

Avant qu'ils disparaissent, Sabine a eu le temps de voir quel journal les troublait à ce point. Il s'agit de *Voir*, un hebdomadaire culturel distribué dans les librairies, les cafés, les pharmacies... Un peu partout, en fait.

« *Amen.* »

Qu'a vu Pierre Ross dans ce journal pour réagir de cette façon ? Sabine est fermement décidée à le découvrir.

16

Après l'enterrement, tout le monde se rend à l'école des Petits Chanteurs, où un buffet est servi dans le gymnase.

« Il faut que je vous parle, souffle Sabine à Xavier et Jérôme dès qu'elle en a l'occasion. Il y a du nouveau... »

Une assiette remplie de sandwiches et de crudités dans une main, un verre de jus dans l'autre, tous trois vont se réfugier dans la classe de 6e année, dont Sabine ferme la porte avant de raconter à ses amis la scène qu'elle a observée au cimetière.

« Il faut absolument qu'on sache ce que mon père a vu dans ce journal », conclut-elle.

Les garçons restent silencieux. Jérôme avale un triangle de sandwich à la salade de poulet. Xavier mastique un bâtonnet de céleri.

Sabine fronce les sourcils.

« Vous faites vraiment preuve d'un enthousiasme délirant… »

Xavier termine son bout de céleri avant de répondre.

« Après l'engueulade que ton père t'a servie, tu veux vraiment continuer à te mêler de ses affaires ? »

C'est au tour de Sabine de rester silencieuse.

« Je ne veux pas me mêler de ses affaires, dit-elle au bout d'un moment. Je veux juste savoir ce qu'il y a dans *Voir*. Tout le monde a le droit de lire ce journal, il me semble. »

Jérôme et Xavier échangent un regard. Sabine se croit-elle vraiment quand elle dit des mensonges pareils ?

« Au moins, dit Jérôme avec un soupir, on ne se ruinera pas pour acheter ce journal. C'est celui qui est gratuit, non ?

— Oui, confirme Sabine. Mais il faut quand même arriver à s'en procurer un exemplaire... Vous êtes cloués ici tout l'après-midi pour l'office du Vendredi saint. Moi, si je rentre rue De Lorimier avec la famille de Xavier, je ne pourrai pas mettre les pieds dehors. Geneviève ne me quitte pas des yeux. Heureusement, j'ai une idée... »

L'idée de Sabine est bien simple. Pour éviter de rentrer avec les Perreault-Bourdon, elle va manifester un vif désir d'assister à l'office du Vendredi saint. Elle va donc pouvoir rester avec Xavier et Jérôme tout l'après-midi et rentrer avec eux en autobus une fois l'office terminé.

« Sauf que je ne resterai pas à l'Oratoire pendant tout l'office, précise-t-elle. Je vais m'absenter quelques minutes pour aller chercher un exemplaire de *Voir*. Il doit bien y avoir un dépanneur ou une pharmacie dans le coin... »

*

Malgré le froid, malgré le vent, malgré la petite pluie fine qui s'est mise à tomber, une foule importante se presse vers l'Oratoire pour assister à l'office du

Vendredi saint, qui commémore la Passion du Christ. La cérémonie débute à quinze heures, mais certains fidèles commencent bien avant à gravir les longues séries de marches qui mènent à cet édifice monumental.

Le plan de Sabine a fonctionné à merveille et, après le départ des Perreault-Bourdon, elle accompagne les Petits Chanteurs jusqu'à la basilique, qui la déçoit beaucoup.

Je n'ai vraiment pas les mêmes goûts que Stéphanie, se dit-elle.

L'église est immense, bien sûr, et la coupole est impressionnante, mais Sabine trouve que l'ensemble manque d'âme et que l'éclairage est affreux. Elle préfère de loin l'atmosphère de la crypte.

Tout comme la veille, les Petits Chanteurs font leur entrée en longue procession. Sabine observe Xavier, et la place vide à côté de lui. Combien de temps la place restera-t-elle vide ? Quand Mathieu sera-t-il tout à fait mort ? Pour la chorale, pour ses amis, pour sa mère ?

« Lecture du livre d'Isaïe… », annonce le prêtre qui préside la cérémonie et qui est entièrement vêtu de rouge. Il est entouré de quatre autres officiants, vêtus de blanc et portant une étole rouge.

Sabine s'attarde quelques instants avant de s'éclipser, le plus discrètement possible.

*

La petite pluie fine est maintenant une grosse pluie drue. Sabine a beau dévaler les escaliers en courant, elle est trempée en arrivant au chemin Queen-Mary, qui passe devant l'Oratoire. Elle jette un coup d'œil autour d'elle. Elle ne connaît pas le quartier et n'a aucune envie de jouer les touristes par un temps pareil. Dans quelle direction devrait-elle aller ?

De l'autre côté de la rue, un peu vers la droite, Sabine aperçoit une pharmacie. Normalement, elle devrait pouvoir y trouver ce qu'elle cherche.

Un sprint jusqu'au coin de la rue. Un bref arrêt avant de traverser. Un autre sprint jusqu'à la pharmacie, dans laquelle Sabine s'engouffre avec soulagement et où elle se secoue un peu.

« Tu te prends pour un chien ? demande une voix derrière elle. Mon labrador fait toujours ça en sortant du lac… »

Sabine se retourne d'un coup sec.

« Est-ce que je t'ai demandé quelque chose ? » lance-t-elle d'une voix coupante.

L'adolescent qui se tient devant elle ne semble pas impressionné. Il lui adresse un grand sourire.

« Mais il est moins susceptible que toi, dit-il. Moins féminin, aussi, malheureusement... »

Sabine lève les yeux au ciel. Par moments, elle se demande si tous les gars sont crétins ou si c'est elle qui est particulièrement malchanceuse. Puis, oubliant le crétin, elle regarde autour d'elle.

Cette entrée de pharmacie ressemble à toutes les entrées de pharmacie qu'elle connaît. Des présentoirs à journaux, dont *Voir*, un téléphone public, des distributeurs de bonbons. Machinalement, Sabine examine ceux-ci. Déformation professionnelle, sans doute. Et puis, au moment où elle s'apprête à saisir un exemplaire de *Voir*, le propriétaire du labrador avance la main vers un distributeur. Aussitôt, Sabine se fige. D'un seul coup, tout vient de se mettre en place dans sa tête.

« Qu'est-ce que tu fais là ? » demande-t-elle au garçon d'une voix qu'elle ne reconnaît pas.

Le garçon se tourne vers elle, une main sur le cœur.

« Quoi ? Mais je rêve ! La princesse Chien mouillé vient de m'adresser la parole… »

Mais Sabine n'est pas d'humeur à plaisanter, et le garçon s'en rend compte tout de suite.

« Qu'est-ce que tu as ? Tu es toute pâle… »

Sabine tend l'index vers la machine.

« Qu'est-ce que tu faisais, il y a trente secondes ? »

Le garçon lève des sourcils étonnés.

« Je vérifiais s'il y avait des bonbons… »

Sabine insiste.

« Tu n'as pas mis d'argent dans la machine ?

— Non.

— Mais tu as soulevé ce truc, là, la petite porte, pour vérifier s'il y avait des bonbons dans le fond de la machine…

— C'est ce que j'ai dit, oui.

— Est-ce que tu fais ça souvent ?

— Tout le temps. C'est un réflexe, chez moi. Je vois une machine, je vérifie s'il y a des bonbons dans le godet. Des fois, je brasse même un peu la machine. Ça aide… »

Sabine prend une grande respiration.

« Et tu trouves souvent des bonbons, de cette manière ?

— Assez souvent, oui. »

Sabine hoche la tête à deux ou trois reprises. Tout s'éclaire, à présent. Comment ont-ils pu être aussi stupides ?

Elle saisit un exemplaire de *Voir* en vitesse et se précipite vers la porte. Avant de sortir, elle se tourne vers le propriétaire du labrador, qu'elle ne trouve pas si crétin, finalement.

« Merci ! dit-elle avec force. Tu ne peux pas savoir à quel point tu me rends service. Mais, à ta place, j'éviterais les distributeurs de bonbons pour quelque temps. Surtout ceux qui contiennent des bonbons rouges. »

Dehors, elle court à perdre haleine vers l'Oratoire. Elle ne sent même pas les trombes d'eau glacée qui s'abattent sur elle.

17

J'ai trouvé ! voudrait hurler Sabine à tue-tête quand elle revient dans la basilique. Je sais comment l'assassin a fourni les bonbons à Mathieu et aux autres !

Mais la commémoration de la Passion du Christ n'est pas encore terminée, la basilique est pleine de fidèles recueillis, et Sabine ne veut surtout pas provoquer de scandale. Elle s'efforce donc de rester calmement assise en attendant la fin de la cérémonie.

« *Tenebrae factae sunt…* » Les ténèbres s'étendirent…

Au bout d'une éternité, l'officiant prononce enfin les mots que Sabine attendait avec impatience.

« Que la paix du Seigneur soit avec vous ! dit-il.

— Et avec votre esprit.

— Allez dans la paix du Christ. »

Dès que l'assemblée commence à se disperser, Sabine se précipite dans la pièce où les Petits Chanteurs se dépouillent de leur aube.

« J'ai trouvé ! dit-elle à Xavier et à Jérôme. Rejoignez-moi dans l'église. Vite ! »

*

Quelques minutes plus tard, Sabine relate aux garçons ce qui s'est produit à la pharmacie.

« C'est clair, non ? »

Jérôme fronce les sourcils.

« Le gars au labrador est l'assassin ? » risque-t-il d'une voix hésitante.

Sabine lève les yeux au ciel.

« Mais non, voyons ! L'assassin commence par acheter des bonbons dans les distributeurs. Ensuite, il empoisonne ces bonbons avec de l'hépacourine…

— Comment ? » demande Xavier.

Sabine hausse les épaules.

« Il les trempe dans une solution d'hépacourine, ou il injecte celle-ci dans les bonbons, ou n'importe quoi, on s'en fiche ! L'important, c'est ce qui se passe *après*… »

Elle marque une pause. Juste pour le plaisir de nous faire languir, songe Xavier.

« Qu'est-ce qui se passe, *après* ? », demande-t-il pourtant en espérant que

Sabine ne va pas décider d'étirer le suspense jusqu'au lendemain.

Mais Sabine n'a aucune envie d'étirer le suspense.

« Après, l'assassin remet simplement les bonbons empoisonnés dans les godets des machines à bonbons. »

Jérôme continue à froncer les sourcils. Il n'est pas sûr de bien comprendre.

« Les godets ? répète-t-il.

— Oui. Tu sais, l'espèce de récipient dans lequel tombent les bonbons…

— Derrière la petite porte ?

— Derrière le clapet, oui. »

Les garçons réfléchissent un moment.

« Si je comprends bien…, commence Xavier.

— … les bonbons empoisonnés se mêlent aux bonbons non empoisonnés quand quelqu'un achète des bonbons », continue Jérôme.

Sabine hoche la tête en signe d'acquiescement.

« Ou bien quelqu'un les trouve sans même avoir acheté de bonbons, ajoute-t-elle. C'est ce qui aurait pu arriver au gars au labrador. Il vérifie simplement s'il y a des bonbons oubliés dans les godets, ou il secoue la machine pour faire tomber des bonbons qui auraient pu rester coincés…

et il attrape des bonbons saturés d'anticoagulant. Après, il suffit qu'il fasse une
chute à bicyclette, comme Mathieu, qu'il
tombe d'une balançoire, comme Julie-
Anne, ou qu'il soit pris dans une bataille,
comme Andrew… et il se met à saigner au
point d'en mourir ! »

Sabine termine son explication avec
un grand geste de la main. Xavier et
Jérôme restent silencieux un moment. Ça
se tient, oui. Et ça explique pourquoi les
policiers du SPCUM n'ont trouvé aucune
trace d'anticoagulant dans les usines où
on fabrique les bonbons, pas plus que dans
les entrepôts ou dans les machines elles-
mêmes. Malgré tout, les garçons hésitent à
crier victoire.

« Comment peux-tu être sûre que c'est
ce qui se passe ? demande Xavier. C'est
logique, je ne peux pas dire le contraire,
mais ce n'est peut-être pas la seule explication possible…

— Je sais. Et c'est justement pour ça
que je n'en parlerai pas à mon père maintenant. Je veux lui apporter des preuves
encore plus éclatantes. Et, pour y arriver,
je suggère qu'on commence par examiner
ce journal… »

*

Actualité politique et culturelle, critiques de films, de disques, de vidéos, horaires de théâtre, de cinéma, d'expositions de peinture ou de sculpture, petites annonces en tout genre, publicité, publicité, publicité...

C'est la première fois que Sabine et ses amis lisent systématiquement un journal du début à la fin, et ils trouvent qu'il s'imprime parfois bien des niaiseries.

Combien d'arbres on assassine pour imprimer tout ça ? se demande Xavier. Et le nombre d'arbres abattus importe-t-il moins si les nouvelles sont plus importantes ? L'éditorial d'un intellectuel mérite-t-il qu'on sacrifie plus d'arbres que la recette minceur d'une actrice sur le déclin ? Un roman philosophique vaut-il mieux qu'un roman policier ? Un horoscope, mieux qu'un mot mystère ? Un article scientifique, mieux qu'une bande dessinée ?

Pendant que Xavier s'interroge ainsi, Jérôme pousse une exclamation étouffée.

« Je l'ai ! Je... je... j'ai trouvé ! »

Aussitôt, les deux autres se ruent vers lui.

« Là ! » dit Jérôme en pointant le doigt vers une petite annonce.

GARÇON OU FILLE
RECHERCHÉ (E) POUR REMPLACER
ANDREW, JULIE-ANNE ET
MATHIEU. OÙ ? VOUS TROUVEREZ
BIEN. QUAND ? ENTRE LA MORT
ET LA RÉSURRECTION DU
CHRIST. COMMENT ? VOUS LE
SAVEZ DÉJÀ. POURQUOI ?
PARCE QUE PÉCHÉ POINGT.

Les trois amis lisent et relisent le message. C'est clair… et, en même temps, ce n'est pas clair du tout.

« Ça vient de l'assassin, finit par dire Sabine.

— Et il va tuer quelqu'un demain, ajoute Xavier. "Entre la mort et la résurrection du Christ" : ça ne peut pas être autre chose que le samedi qui se trouve entre le Vendredi saint et le dimanche de Pâques. »

Les deux autres approuvent.

« Oui, dit Sabine. Mais "parce que péché poingt", ça veut dire quoi ? »

Jérôme rougit un peu avant de répondre.

« Peut-être que l'assassin a fait une faute. "Poing", ça s'écrit sans *t*…

— Sauf que ça ne veut rien dire, "Péché poing", réplique Sabine. Péché main, péché coup de poing, péché dans le poing... Si vous voyez du sens là-dedans, vous êtes bons...

— Peut-être qu'il faut enlever le *g*, suggère Xavier. "Péché point" : pas de péché... vous ne pécherez pas... »

Tous trois continuent à fixer la petite annonce.

« Je suis sûre que l'assassin n'a pas fait de faute, dit Sabine en secouant la tête. S'il a écrit "poingt", c'est qu'il voulait écrire "poingt"... Ça ressemble à un mot de l'ancien temps... »

L'ancien temps, une expression qui, dans l'esprit de Sabine, englobe autant l'époque des dinosaures que celle d'avant l'électricité et l'automobile, ou celle d'avant les ordinateurs et les cellulaires.

« De toute façon, dit Xavier, le plus important, ce n'est pas de savoir ce que veut dire ce mot. Le plus important, c'est que quelqu'un est censé mourir demain. Qu'est-ce qu'on fait pour empêcher ça ? »

*

« Il faut que tu avertisses ton père, ne cessent de répéter Xavier et Jérôme.

— Non », ne cesse de répondre Sabine.

Elle voudrait avertir son père. Elle ne demande pas mieux que d'avertir son père. Mais elle sait que celui-ci ne l'écoutera même pas. Il va se fâcher, il va l'engueuler, il va s'arranger pour qu'elle reste enfermée, mais il ne croira pas un mot de ce qu'elle va lui raconter. Alors, elle n'a pas le choix : elle doit découvrir l'assassin et l'amener à son père preuves en main. Ce n'est qu'à ce moment qu'il va accepter de l'écouter.

« C'est simple, explique Sabine pour la douzième fois. Mon père a lu l'annonce. Il a sûrement compris que quelqu'un doit mourir demain. Mais il m'a dit l'autre soir que les bonbons empoisonnés ne pouvaient pas provenir des distributeurs. Nous, on sait maintenant que ce n'est pas vrai. Alors, demain, on va surveiller les distributeurs de gros jujubes rouges, des jujubes givrés au centre mou, puisque mon père a dit que l'assassin mettait de l'hépacourine dans ces bonbons-là. Quand on va voir l'assassin mettre des bonbons empoisonnés dans une machine, on va prendre les bonbons, suivre l'assassin, découvrir son adresse… et téléphoner à mon père pour qu'il aille l'arrêter. C'est simple… et efficace. »

Sabine semble tellement sûre d'elle et de son raisonnement que les garçons n'osent pas protester trop fort. Pourtant, Xavier ne peut s'empêcher de dire :

« On ne pourra jamais surveiller tous les distributeurs ! Il y en a beaucoup trop… Et puis, tu n'as même pas le droit de sortir de la maison. Tu as dit toi-même que ma mère ne te quitte pas des yeux ! »

Sabine réfléchit un moment.

« Le nombre de machines à bonbons ne m'inquiète pas trop, dit-elle. Je suis sûre qu'on peut en éliminer beaucoup en ne gardant que celles qui contiennent de gros jujubes rouges et givrés au centre mou *et* qui se trouvent sur le trajet de chacune des victimes dans les heures qui ont précédé leur mort. »

Elle fronce les sourcils.

« Par contre, je ne sais pas trop comment faire pour échapper à la surveillance de ta mère », dit-elle à Xavier.

Elle fourrage vigoureusement dans ses cheveux, les sourcils toujours froncés. Soudain, un sourire éclaire son visage.

« Avez-vous transmis à vos parents l'horaire précis de vos répétitions, cette semaine ? »

Les garçons se creusent les méninges.

«Je ne crois pas, finit par dire Jérôme. Le père Blondin nous a donné l'horaire oralement, en nous disant de le noter dans notre agenda…

— Et nous montrons notre agenda à nos parents le moins souvent possible! ajoute Xavier d'une voix triomphante. Donc, si nous disons à nos parents que nous sommes en répétition toute la journée, demain…

— Et que je me montre extrêmement intéressée à assister à ces répétitions…, poursuit Sabine.

— Personne ne saura qu'en réalité nous sommes en train de surveiller des distributeurs de bonbons », conclut Jérôme.

Tous trois échangent un long regard.

«Marché conclu? demande Sabine en allongeant la main droite devant elle.

— Marché conclu! » répondent les deux autres en posant leur main sur la sienne.

Jour 7

**6 avril
Samedi saint – Vigile pascale**

Tu autem, Domine, miserere mei…

Et toi, Seigneur, aie pitié de moi…

(Chant du Samedi saint)

18

Le samedi, le temps est encore plus maussade que la veille.

Le mercure a chuté de plusieurs degrés, le vent a redoublé d'ardeur, et la pluie tombe de plus belle. Le temps est si sombre que les Perreault-Bourdon prennent leur déjeuner toutes lumières allumées.

« On se croirait en novembre, dit Geneviève Perreault avec une grimace. J'aimerais pouvoir vous emmener à l'Oratoire en voiture, ajoute-t-elle à l'intention de Sabine et de Xavier, mais il faut que je conduise Stéphanie à son cours de natation. Par contre, si vous pouviez attendre un peu... Je suis sûre que M. Chamberland comprendrait, avec le temps qu'il fait... »

Xavier et Sabine protestent aussitôt.

« Non, non, tu n'as vraiment pas besoin de venir ! dit Xavier. Ça va aussi vite en autobus, de toute façon, et puis tu ne connais pas bien M. Chamberland. Il nous engueule au moindre retard…

— D'ailleurs, le temps n'est pas si mauvais ! ajoute Sabine. Ce n'est pas un peu de pluie qui va nous faire fondre… »

Geneviève Perreault n'insiste pas.

« Prenez des parapluies, au moins, suggère-t-elle.

— Avec un vent pareil ? répond Xavier. On va s'envoler comme Mary Poppins… Il vaut mieux qu'on prenne les vieux ponchos imperméables. »

Selon le plan établi la veille, Sabine et Xavier rencontrent Jérôme à neuf heures moins le quart au coin des rues Papineau et Mont-Royal. La pluie continue de tomber à verse, et ils décident d'entrer chez McDonald pour vérifier leur matériel et préciser les détails de leur plan.

À l'intérieur, Sabine retire son poncho, qu'elle porte par-dessus son sac à dos et qui lui donne une drôle de silhouette (« Tu ressembles à Quasimodo ! » s'est exclamée Stéphanie en la voyant partir). Elle dépose l'imperméable dégoulinant sur une chaise et vide son sac à dos sur la table pendant que Jérôme et Xavier vont

acheter trois chocolats chauds. En revenant, les garçons ouvrent de grands yeux :

« Avons-nous vraiment besoin de tout
ça ? » demande Xavier en désignant ce qui
se trouve sur la table : le carnet d'enquête
et plusieurs crayons, le plan du quartier,
deux sachets de plastique contenant de
gros jujubes rouges et givrés au centre
mou, une petite lampe de poche, un canif,
trois grosses craies de couleur que Sabine
a trouvées dans les affaires de Stéphanie,
trois rouleaux de vingt-cinq cents, des
mouchoirs de papier, des pastilles pour la
gorge, des barres tendres, des biscuits, des
jus…

« Mieux vaut prévenir que guérir,
énonce Sabine d'un ton sentencieux.

— Et mieux vaut prévoir que guéroir »,
approuve Jérôme d'un ton tout aussi sentencieux.

Sabine soupire. Pas moyen d'être
sérieux, avec ce garçon…

« Ça, dit Sabine en montrant les
jujubes, ce sont les bonbons que l'assassin
utilise pour mettre de l'hépacourine. Il va
falloir qu'on surveille deux distributeurs
qui en contiennent. Il y en a un dans le
petit dépanneur qui se trouve à côté d'ici,
précise-t-elle en désignant l'endroit exact

sur le plan du quartier, et un dans l'entrée de la pharmacie située près de la rue Chambord. »

La veille au soir, Xavier et elle ont suivi à la lettre le plan qu'ils avaient élaboré dans la journée. Ils ont recoupé les trajets suivis par Mathieu, Julie-Anne et Andrew dans les heures ayant précédé leur mort et noté les lieux où ils avaient pu aller tous les trois. Ensuite, ils ont consulté la liste des machines à bonbons établie par Sabine quelques jours plus tôt ainsi que les échantillons recueillis dans ces machines. C'est ainsi qu'ils se sont rendu compte que seules deux machines offrant de gros jujubes rouges et givrés au centre mou se trouvaient sur les portions de trajet communes aux trois victimes.

Sabine tend une grosse craie et un rouleau de vingt-cinq cents à chacun des garçons.

« Nous sommes trois. Il y a deux machines à surveiller. La meilleure façon de ne pas éveiller les soupçons, c'est de bouger continuellement, de nous relayer… Un de nous trois va surveiller le distributeur du dépanneur. Un autre va surveiller celui de la pharmacie. Le troisième va faire la navette entre les deux et remplacer celui qui est posté à son point d'arrivée.

Comme ça, on n'attirera pas l'attention de l'assassin en restant trop longtemps au même endroit.

— Et puis, on va toujours être en contact les uns avec les autres, fait remarquer Jérôme.

— Pas vraiment, corrige Sabine. On va être en contact régulier, mais pas en contact constant. L'aller-retour entre les deux points doit prendre sept ou huit minutes. Ça fait donc des périodes de sept ou huit minutes pendant lesquelles ceux qui surveillent sont tout seuls. Et, en sept ou huit minutes, l'assassin a le temps de déposer ses bonbons empoisonnés dans une machine, de s'éloigner sans trop se presser et de disparaître à tout jamais… ou jusqu'au prochain meurtre. C'est pour ça que j'ai apporté des craies. Si l'un d'entre nous voit l'assassin, il doit pouvoir le prendre en filature tout en indiquant aux autres par où il est parti. Quelques flèches tracées sur le trottoir, et le tour est joué ! Quand celui qui fait la navette entre les deux points arrive, il commence par avertir celui qui est posté à l'autre endroit, et tous les deux peuvent ensuite rejoindre rapidement celui qui file l'assassin ! »

Sabine a expliqué son plan à toute vitesse, les yeux brillants et la voix pétillante d'excitation.

Xavier se gratte la tête.

« Tu ne veux quand même pas qu'on arrête l'assassin nous-mêmes ? demande-t-il d'une voix inquiète.

— Mais non, je vous l'ai déjà dit hier ! répond aussitôt Sabine. C'est pour ça que j'ai apporté tous ces vingt-cinq cents. Dès qu'on aperçoit l'assassin, on téléphone à mon père. Et si on découvre où il habite, c'est encore mieux : on donne son adresse à mon père. Tenez, voici ses différents numéros de téléphone : maison, cellulaire, téléavertisseur », ajoute-t-elle en tendant un bout de papier à chacun des garçons.

Jérôme examine le bout de papier d'un air indécis.

« Et pourquoi on ne l'avertirait pas tout de suite, ton père ? suggère-t-il sans trop d'espoir. La police est quand même mieux équipée que nous pour faire de la surveillance, non ? Et ils n'ont pas juste une craie et un rouleau de vingt-cinq cents pour se défendre en cas de danger… »

Sabine secoue la tête avec véhémence.

« M'avez-vous écoutée quand je vous ai expliqué tout ça hier ? Je vous répète que mon père ne nous croira pas tant qu'on ne lui présentera pas l'assassin !

— Pourtant, il a lu le journal, lui aussi, fait remarquer Xavier. Il sait que l'assassin va agir aujourd'hui.

— Sûrement, oui, admet Sabine d'un air pensif. Mais je ne sais pas ce qu'il a l'intention de faire avec cette information. N'oublie pas qu'il est certain que les machines à bonbons n'ont rien à voir avec la mort de Mathieu et des autres...

— Lui et son équipe vont peut-être patrouiller le quartier de façon intensive », suggère Jérôme d'une voix pleine d'espoir : s'il doit se trouver en présence d'un meurtrier, il préférerait qu'il y ait beaucoup de policiers dans les parages.

Sabine grimace. Elle n'a aucune envie de se retrouver face à face avec son père... à moins de pouvoir lui désigner l'assassin, bien sûr. Heureusement qu'il pleut, finalement. Avec ce poncho dont le capuchon lui retombe pratiquement sur le nez, elle est difficile à reconnaître, même pour son père.

« Oublions mon père pour l'instant, dit-elle d'une voix ferme en remettant le matériel dans son sac à dos. Il sera toujours temps d'aviser si on tombe sur lui pendant la journée. Pour tout de suite, l'important, c'est de commencer notre surveillance. »

Elle se lève, reprend son sac à dos et enfile son poncho.

« Tremble, assassin ! dit Jérôme en se levant à son tour. Quasimodo arrive… »

*

Le trio va d'abord repérer les deux distributeurs et s'assure qu'aucun bonbon ne se trouve déjà dans le godet. Puis, Sabine se poste près du dépanneur, Xavier s'installe dans l'entrée de la pharmacie, et Jérôme effectue son premier trajet entre les deux.

C'est le début d'une longue attente. On se croirait revenus à l'époque de l'homme du Cheshire, songe Xavier, chaleur et soleil en moins… (L'enquête sur son oncle s'était déroulée en plein mois de juillet.)

Des heures et des heures à surveiller, à vérifier si la vieille dame qui vient d'acheter des bonbons n'en a pas laissé d'autres dans le godet, à compter les jeunes à casquette qui, comme le propriétaire du labrador, secouent les distributeurs dans l'espoir d'obtenir des bonbons gratis, à observer les allées et venues des employés du dépanneur et de la pharmacie, à se méfier des gros à lunettes, des maigres à parapluie, et même des bébés…

Des heures et des heures à marcher sous la pluie, à geler, à avoir mal aux pieds, à attendre le plus longtemps possible avant d'aller aux toilettes, à regretter de ne pas avoir apporté une plus grande quantité de barres tendres, de biscuits et de boîtes de jus…

Des heures et des heures à se demander si tout cela a un sens et s'ils vont finir par trouver l'assassin…

Des heures et des heures…

*

« Je peux savoir à quoi vous jouez ? » demande le propriétaire du dépanneur à Jérôme au milieu de l'après-midi.

Leurs va-et-vient continuels leur évitent peut-être d'attirer l'attention de l'assassin, mais pas celle des employés du dépanneur et de la pharmacie.

« Euh… c'est pour un record.

— Un record ? répète l'homme en haussant les sourcils. Comme dans les records Guinness ?

— Oui, sauf que c'est pour l'école. On ramasse de l'argent pour les pays en voie de développement... »

Le propriétaire du dépanneur hoche la tête à plusieurs reprises avant de fouiller dans sa poche et d'en tirer un billet de cinq dollars, qu'il tend à Jérôme.

« Tiens, pour ta bonne cause... »

Jérôme, très gêné, prend le billet en se promettant de revenir le dépenser là un peu plus tard.

*

Un peu avant seize heures, alors que Sabine arrive à la pharmacie pour prendre la relève de Xavier, celui-ci semble soudain terrifié.

« Attention ! crie-t-il à Sabine. Cache-toi ! »

Et il plonge dans un coin de l'entrée, sous le téléphone public. Sabine, inquiète, en fait autant.

« Pourvu qu'elle ne nous voie pas ! souffle Xavier.

— Qui ça ? demande Sabine.

— Ma mère ! Elle est en train de traverser la rue. Pourvu qu'elle n'entre pas ici ! »

Mais Geneviève Perreault ne se montre pas et, au bout d'un moment, les deux amis se relèvent… pour tomber nez à nez avec Annie Medeiros, la pharmacienne que Sabine trouve si gentille.

« Ça va ? demande-t-elle en les détaillant d'un air surpris. Mon patron et moi, on vous observe depuis un moment, et on ne comprend pas trop ce que vous faites… »

Sabine réprime un soupir. Pour la discrétion, on repassera…

« C'est pour l'école, dit-elle en reprenant l'explication de Jérôme. On ramasse des fonds pour les pays en voie de développement. »

La pharmacienne va-t-elle leur donner de l'argent, elle aussi ? Le métier de détective pourrait se révéler lucratif, finalement.

Mais Annie Medeiros continue à les regarder en haussant les sourcils.

« Comment pouvez-vous ramasser des fonds en passant la journée à dégouliner dans une entrée de pharmacie ? »

Bonne question, se dit Sabine. Le problème, c'est que je n'en connais pas la réponse…

« On compte les clients, répond Xavier. La compagnie de mon père a promis de verser un dollar par client qui va venir à la pharmacie aujourd'hui. Pour l'instant, on en a compté huit cent trente-quatre…

— Pas plus que ça ? s'étonne la pharmacienne. C'est vrai qu'il fait un temps épouvantable… » Elle hausse les épaules puis adresse un petit sourire à Sabine et Xavier. « Bonne chance », dit-elle avant de retourner à son comptoir.

Sabine et Xavier se regardent en poussant un soupir de soulagement.

Le métier d'enquêteur exige plus d'imagination qu'ils ne l'auraient cru.

*

Vers dix-sept heures, le trio montre des signes de découragement.

« On s'est trompés, dit Jérôme d'une voix lugubre. On ne trouvera jamais l'assassin…

— La journée n'est pas encore finie, proteste Sabine.

— Peut-être, mais n'oublie pas que Xavier et moi devons être à l'Oratoire dans une heure. La Vigile pascale commence à huit heures, et M. Chamberland veut qu'on répète avant… Tu ne peux quand même pas continuer la surveillance toute seule… »

Sabine soupire. Elle s'imagine mal en train de courir sans arrêt de la pharmacie au dépanneur, et vice-versa. Jérôme a raison, elle ne peut pas continuer la surveillance toute seule. Elle refuse pourtant de s'avouer vaincue.

« Je vais rester ici encore un peu, dit-elle. On ne sait jamais… »

Au même instant, Xavier fait son apparition dans l'entrée de la pharmacie.

« Tu as vu l'heure ? dit-il à Jérôme. Il faut qu'on parte. »

Jérôme approuve d'un signe de tête.

« C'est exactement ce que je disais à Sabine. »

Xavier se tourne vers Sabine.

« Tu rentres à la maison ou tu viens à l'Oratoire avec nous ?

— Elle veut rester ici ! répond Jérôme.

— Ici ? répète Xavier en ouvrant des yeux étonnés. Mais pour quoi faire ?

— Surveiller, répond Sabine avec hauteur. C'est pour ça qu'on est là, non ? »

Xavier hésite un instant avant de continuer.

« Es-tu sûre que ce soit prudent ? demande-t-il enfin. Ou même que ça va donner quelque chose ? »

Sabine ne répond pas. Puis, voyant que les garçons ne bougent pas, elle leur lance :

« Allez, partez ! Vous allez être en retard ! »

Les deux garçons se regardent, indécis.

« Dépêchez-vous ! insiste Sabine. L'autobus arrive ! »

Xavier et Jérôme s'éloignent en courant.

*

C'est à dix-sept heures quinze, très exactement, que Sabine aperçoit l'assassin.

19

Sabine a failli ne pas le voir. Après le départ des garçons, elle est entrée dans la pharmacie pour s'acheter un sac de chips et une boisson gazeuse. C'est en revenant vers l'entrée, après avoir payé ses achats, qu'elle aperçoit un homme, de dos, qui glisse des bonbons rouges dans le godet d'une des machines.

L'homme sort ensuite de la pharmacie. Il s'attarde un court moment devant la porte avant d'ouvrir un grand parapluie et de commencer à s'éloigner.

Sabine, le cœur battant, se précipite vers le distributeur et ramasse trois bonbons, qu'elle met dans une poche de son blouson, sous son poncho. Par la porte entrouverte, elle jette un coup d'œil dehors : l'homme marche très lentement ; il approche tout juste du coin de la rue, où le feu vire au rouge. Pourvu qu'il respecte les feux de circulation ! Pourvu surtout qu'il ne décide pas de changer de direction ou de monter dans une voiture !

Sabine s'élance vers le téléphone de l'entrée. Elle est tellement énervée qu'elle a du mal à composer le numéro de cellulaire de son père. Pas de panique, surtout, pas de panique !

« Lieutenant-détective Pierre Ross. Je ne peux vous répondre pour l'instant. Laissez-moi un message, je vous rappellerai dans les plus brefs délais. Pour une urgence, composez le… »

Sabine n'a pas le temps de téléphoner ailleurs.

« Papa… papa ! crie-t-elle d'une voix excitée tout de suite après le bip sonore. Je l'ai trouvé ! J'ai trouvé l'assassin. Je vais le suivre et laisser des traces à la craie. Tu n'as qu'à suivre les flèches. Je suis sur Mont-Royal, près de Chambord ! »

Elle raccroche en catastrophe et se précipite dehors. Où est l'assassin ? D'abord, elle ne le voit pas, et elle sent le découragement l'envahir. Puis elle l'aperçoit à deux rues de là, immobile sous son grand parapluie, qui examine la vitrine d'une bijouterie avant de se remettre en route. Ouf ! elle ne l'a pas perdu. Avec un soupir de soulagement, elle sort sa craie de son sac à dos, trace une flèche mauve sur le trottoir et entreprend de suivre l'homme au parapluie.

*

Toute la journée, Pierre Ross et son équipe ont été sur les dents. Par chance, le commandant Saulnier a dépêché une dizaine de constables pour les aider à surveiller les huit Virginie et les cinq Caroline qu'ils ont réussi à identifier.

Il y a eu quelques fausses alertes, et même un appel d'une mère inquiète disant qu'un individu louche suivait sa fille. L'individu en question était le sergent François Jean-Baptiste, qui n'a pas tellement apprécié qu'on le confonde avec un meurtrier.

Peu après dix-sept heures, Pierre Ross a quitté le coin d'Ontario et de Beaudry, où Sophie Nguyen venait de lui dire que la petite Virginie numéro 6 était en sécurité auprès de sa mère et qu'elles étaient toutes les deux en train de manger une pizza commandée à la pizzeria du coin.

« Le constable Verville a surveillé la confection de la pizza, et c'est lui qui l'a livrée, a précisé Sophie. Aucun risque d'empoisonnement de ce côté. »

Je mangerais bien une pizza, moi aussi, s'est dit Pierre Ross en arrivant au quartier général, où l'a convoqué le grand patron, Raymond Marquis, le directeur du SPCUM lui-même. En fait, le détective aurait mangé n'importe quoi. Il n'avait rien pris depuis le matin. Mais les priorités sont les priorités, et le grand patron passe avant la pizza.

Avant d'entrer dans le bureau de Raymond Marquis, Pierre Ross a désactivé la sonnerie de son cellulaire. La réunion avec le directeur serait des plus délicates, et ce n'était pas le moment d'être dérangé par un appel inopportun. Si quelqu'un avait quelque chose d'important à lui dire, il n'avait qu'à le contacter au moyen de son téléavertisseur, ou encore à téléphoner au commandant Saulnier ou à un membre de son équipe.

*

La pluie tombe de plus belle, une pluie fine et glacée qui cingle la peau. Par moments, Sabine a même l'impression qu'il s'agit de grêle. Elle baisse la tête de temps en temps pour se protéger le visage, mais pas trop longtemps, de peur de perdre l'assassin de vue.

Celui-ci a quitté l'avenue du Mont-Royal pour emprunter la rue Christophe-Colomb vers le sud. Soudain, peu avant la rue Marie-Anne, il disparaît dans un passage qui est sans doute une ruelle. Sabine accélère le pas et s'engage elle aussi dans ce passage. À peine y est-elle qu'elle constate son erreur : ce n'est pas une ruelle, c'est une allée privée, qui mène à un garage situé à l'arrière de la maison qui se trouve à sa droite. À mi-chemin entre la rue et le garage, une petite construction en triangle fait saillie sur le mur. Sabine s'en approche pour voir de quoi il s'agit. Un grand panneau de bois gris, incliné à 45°, a été relevé, et Sabine aperçoit une volée de marches menant à une entrée pratiquée dans les fondations de la maison et que protège normalement une porte, présentement entrouverte. On dirait une cave, une cave plutôt rudimentaire. L'assassin a dû entrer là, se dit Sabine du haut des marches, en jetant un regard vers la cave, où luit une faible ampoule. Elle ne voit pas l'assassin, mais il ne peut être que là. Il vaut mieux qu'elle s'éloigne avant qu'il remonte. Elle n'a plus qu'à noter l'adresse de la maison, à rappeler son père et…

« Personne ne t'a jamais dit que la curiosité est un vilain défaut ? tonne une voix grave derrière elle. Tant pis, tu l'auras voulu. »

Et, avant que Sabine ait pu réagir, une violente poussée la projette au bas des marches.

*

« Toujours rien, annonce Pierre Ross au directeur du SPCUM. De trois choses l'une : ou bien notre homme a décidé de ne pas se manifester ; ou bien il va le faire dans les heures qui viennent ; ou bien, comme nous l'avons déjà envisagé, son appel et son message dans *Voir* étaient destinés à créer une diversion, à nous envoyer sur une fausse piste pendant qu'il sévissait ailleurs... »

Raymond Marquis tapote l'épais dossier qui se trouve devant lui.

« Il faut arrêter cet assassin avant qu'il frappe de nouveau, dit-il d'une voix autoritaire. On ne peut pas se permettre un autre meurtre. L'opinion publique est en alerte, et nous commençons à subir des pressions politiques sérieuses. Tout le monde réclame un coupable. Je voudrais donc que vous m'indiquiez, pour chacune des pièces de ce dossier, quelles mesures ont été prises et quels en ont été les résultats. »

Il ouvre le dossier, dont il sort la petite annonce de *Voir*.

« Pour commencer, que signifie ce "péché poingt" ? » demande-t-il.

Pierre Ross s'assoit avant de répondre. La rencontre risque d'être longue.

*

La chute a été brutale, et Sabine est plutôt sonnée. Elle tente pourtant de se relever et de remonter l'escalier pour s'enfuir.

« Pas question ! » gronde son agresseur. Du haut des marches, il la repousse d'un coup de pied. Il descend ensuite prestement l'escalier en refermant le panneau au-dessus de leurs têtes et entraîne Sabine dans la cave, dont il ferme aussitôt la lourde porte.

« Et maintenant, à nous deux », dit l'homme d'une belle voix grave en se tournant vers l'adolescente.

C'est un homme de grandeur moyenne, mince et droit, à l'épaisse chevelure blanche. Sabine a le sentiment d'avoir déjà vu cet homme d'un certain âge aux allures de bon grand-papa, mais elle n'arrive pas à se rappeler où.

« Petite curieuse, petite curieuse, sais-tu que tu commençais à m'agacer, avec tes questions et ta manie de tout surveiller ? La curiosité est un vilain défaut, tu devrais savoir ça. »

Soudain, Sabine se rappelle où elle a vu l'assassin.

« Vous travaillez à la pharmacie, avec Annie Medeiros ! »

Un sourire naît sur les lèvres d'Alfred Turcotte.

« Eh oui, dit-il avec douceur. Je travaille avec cette charmante jeune femme. Une bonne pharmacienne, Annie. Très consciencieuse. Un peu naïve, cependant. On peut faire disparaître des stocks une quantité appréciable d'hépacourine sans qu'elle s'en rende compte… »

Il énonce cela d'un ton léger, comme si ça n'avait aucune espèce d'importance. Sabine est incapable de se contenir plus longtemps.

« Assassin ! crache-t-elle. Tueur d'enfants ! »

Alfred Turcotte la regarde avec un petit sourire de pitié.

« Ttut, ttut, ttut…, dit-il en secouant la tête. Je n'ai jamais tué personne, moi. »

Sabine ne sait plus quoi penser. C'est vrai qu'il n'a pas l'air bien méchant. Mais il l'a quand même poussée dans l'escalier. Il la tient prisonnière ici. Et puis, il y a cette question d'hépacourine si facile à faire disparaître des stocks de la pharmacie…

« Mais qui a tué Mathieu, Andrew et Julie-Anne, alors ? »

Alfred Turcotte a un sourire très doux.

« Ils se sont tués eux-mêmes, voyons ! »
Sabine fronce les sourcils.

« Je ne comprends pas, dit-elle.

— C'est pourtant bien simple, explique Alfred Turcotte sans cesser de sourire. Ce qui a tué ces enfants, ce sont leurs péchés. La gourmandise, la colère, l'orgueil… »

Brusquement, Sabine songe à la petite annonce de *Voir*.

« C'est vous qui avez écrit "parce que péché poingt". Ça veut dire quoi ?

— Tu ne peux vraiment pas t'empêcher de poser des questions, hein ? Petite curieuse, petite curieuse… C'est un proverbe du XVIIe siècle, poursuit-il à la façon d'un professeur qui explique patiemment une leçon à une élève difficile : *Charité oingt et péché poingt*… La charité flatte, caresse ; le péché pique, ou blesse… J'aurais pu écrire aussi : *Nul vice sans supplice* ou *On est souvent puni par où l'on a péché*… »

Alfred Turcotte fait une pause, pendant laquelle il répète « ttut, ttut, ttut » plusieurs fois, puis il reprend, toujours avec douceur :

« Tu vois, petite, ces enfants-là sont morts à cause de leur méchanceté, de leurs péchés. La gourmandise, qui les a amenés à prendre les bonbons. La colère, qui les a poussés à se battre. L'orgueil, qui leur a fait accepter de participer à des défis stupides... S'ils avaient été sages, ils ne seraient pas morts. C'est leur faute, ce n'est pas la mienne. Moi, je ne suis que l'instrument du destin, la main de Dieu, celui par qui justice est rendue... »

Il est fou, se dit Sabine. Il est pas mal plus fou que l'oncle de Xavier. Et pas mal plus dangereux.

« Mais vous ne pouviez pas savoir qu'Andrew, Julie-Anne et Mathieu se blesseraient ! s'exclame-t-elle pourtant. Rien ne pouvait garantir qu'ils allaient mourir ! »

Le sourire d'Alfred Turcotte s'élargit.

« Tu es curieuse, mais pas sotte..., dit-il avec une nuance d'admiration dans la voix. Tu as parfaitement raison, petite. Rien ne garantissait qu'ils allaient mourir. D'ailleurs, j'ai souvent mis des bonbons à l'hépacourine dans les machines, mais, à ma connaissance, seuls trois enfants en sont morts... Par leur propre faute, d'ailleurs...

— Qu'est-il arrivé aux autres personnes qui ont pris vos bonbons ? » demande Sabine, sourcils froncés.

Alfred Turcotte hausse les épaules.

« Rien, probablement. Ou alors un léger malaise. Tu sais, la dose d'hépacourine n'est pas très forte, dans ces bonbons. Pas assez pour tuer un adulte, en tout cas. Il a pu arriver aussi que des enfants se partagent les bonbons, ou qu'ils restent bien tranquilles, tout simplement. Je te l'ai dit : ce n'est pas moi qui ai tué Andrew, Julie-Anne et Mathieu. Ils se sont tués eux-mêmes. Par leur colère, leur imprudence, leur orgueil... Toi, ce qui va te perdre, c'est ta curiosité. Tu aurais pourtant dû savoir que la curiosité est un vilain défaut...

— Je le sais, oui, ça fait trois fois que vous le dites !

— Ttut... ttut... ttut... Serais-tu impertinente, en plus ? Je sais que tu as pris les bonbons que j'ai déposés dans le distributeur. Montre-les-moi, s'il te plaît.

— Pourquoi ?

— Ne pose pas de questions et contente-toi d'obéir. À moins que tu ne veuilles que j'ajoute la désobéissance à la longue liste de tes péchés... »

Sabine a toujours son poncho sur le dos. Les yeux plantés dans ceux de l'assassin, elle retire lentement le poncho, puis se débarrasse de son sac à dos, qu'elle pose par terre, sous le poncho. Ses gestes sont très lents.

« Ne traîne pas comme ça ! lance Alfred Turcotte d'une voix impatiente. Et laisse ton sac tranquille. Contente-toi de prendre les bonbons. »

Toujours lentement, Sabine se redresse en glissant la main dans la poche de son blouson. Alfred Turcotte ne la quitte pas des yeux.

« Prends les bonbons, répète-t-il. Montre-les-moi. Et avale-les. »

Sabine sort la main de sa poche et la montre à Alfred Turcotte, paume ouverte. Trois bonbons reposent dans le creux de sa main.

« Mange-les », ordonne Alfred Turcotte plus durement.

Sabine hésite encore un moment, puis, soudain, elle semble se décider. Elle porte les bonbons à sa bouche et les avale d'un seul coup.

« Ouvre la bouche », ordonne ensuite Alfred Turcotte, qui tient à s'assurer que Sabine a bien avalé les bonbons.

Obéissante, Sabine ouvre grand la bouche, que l'assassin prend le temps d'inspecter soigneusement. Puis, apparemment satisfait, il se dirige vers la porte. Avant de sortir, il se tourne vers Sabine :

« Je te laisse. Mon heure de souper est terminée, et je dois retourner à la pharmacie. Je suis un homme de devoir, moi. Un homme de bien. Un homme qui favorise les desseins de Dieu. Je voudrais toutefois préciser un détail, avant de partir : je me suis dit qu'un anticoagulant ne serait sûrement pas efficace avec une fouine comme toi. À présent que tu connais mes petits secrets, tu n'aurais rien fait pour te blesser ou provoquer un saignement. Tu es curieuse, mais pas sotte, comme je l'ai dit plut tôt. Et je ne peux pas me permettre de te garder vivante, j'espère que tu comprends ça. Mais il n'est quand même pas question que je te blesse moi-même. Je n'ai jamais brutalisé personne, et ce n'est pas aujourd'hui que je vais commencer… Je me suis donc résigné à déroger à mes habitudes et à utiliser du cyanure, plutôt que de l'hépacourine. C'est plus efficace… et beaucoup plus fulgurant », ajoute-t-il avec un doux sourire.

Puis il quitte les lieux en prenant la peine de refermer soigneusement la porte derrière lui. Une fois dehors, il ferme le commutateur, qui se trouve à l'extérieur. Pour mourir, la jeune curieuse n'a pas besoin de lumière.

*

Il est près de dix-neuf heures trente quand Pierre Ross quitte enfin le bureau de Raymond Marquis. Leur longue réunion n'a pas donné grand-chose.

« Allez retrouver votre équipe, a fini par dire Marquis. Tenez-moi au courant des développements… et tâchez de garder toutes les Virginie et toutes les Caroline en vie. Comme je vous l'ai dit, nous subissons beaucoup de pressions, tant de la part du public que de certains hommes politiques… »

Dans le corridor, en route vers la sortie, Pierre Ross rétablit la sonnerie de son cellulaire et vérifie s'il a des messages.

« Vous avez *un* nouveau message, dit la voix électronique. Pour faire l'écoute des messages non entendus, appuyez sur 1-1… »

Pierre appuie sur le 1 d'un doigt impatient. Il est pressé, il a faim, il n'a surtout pas de temps à perdre…

La voix de Sabine éclate à son oreille.

« Papa… papa ! Je l'ai trouvé ! J'ai trouvé l'assassin… »

20

Pierre Ross a l'impression que son corps s'est vidé de tout son sang, puis que le sang est revenu d'un coup, en une vague puissante qui l'empêche de respirer.

« Papa… papa ! Je l'ai trouvé !… »

Il a la tête sur le point d'éclater, le cœur au bord de l'explosion. Ses jambes semblent avoir pris racine dans le plancher. Elles sont lourdes, lourdes.

« Non ! gronde-t-il d'une voix terrible tout en serrant les poings. Non ! Non ! Non ! »

Brusquement, il retrouve l'usage de ses jambes et il court jusqu'au bureau de Raymond Marquis, dont il ouvre la porte à toute volée.

« C'était un piège ! lance-t-il d'une voix qu'il ne reconnaît pas lui-même. Il nous a attirés ailleurs pour mieux cerner sa proie. Et sa proie, c'est Sabine, ma fille… »

Le directeur du SPCUM sursaute.

« Quoi ? Mais où ? Comment ?… »

Pierre Ross est déjà parti. Il appuie furieusement sur les touches de son cellulaire.

« Papa… papa !… »

Il appuie sur le 5.

« Le message a été envoyé à dix-sept heures dix-huit minutes nouveau message en provenance de numéro de téléphone inconnu douze secondes. »

Pour une fois, Pierre ne remarque même pas la façon bizarre dont se termine le message et il ne se demande pas ce que font là ces douze secondes. Il jette un coup d'œil à sa montre. Dix-neuf heures trente-sept. Il y a déjà plus de deux heures que Sabine lui a laissé ce message. Où est-elle, maintenant ? Et où est l'assassin ?

« Je suis sur Mont-Royal, près de Chambord », a dit Sabine. Il va se rendre là en voiture, le plus vite possible, et suivre les flèches tracées à la craie. Pourvu qu'il arrive à temps. Pourvu qu'il ne soit rien arrivé à Sabine. Sa fille, sa petite fille…

Il ouvre la porte qui donne sur le stationnement.

« Shit ! ne peut-il s'empêcher de hurler avec rage. Shit ! Shit ! Shit ! »

Pendant qu'il était avec Marquis, la pluie s'est changée en neige. Une neige fine et serrée qui s'accumule rapidement sur le sol. Il doit déjà y en avoir une douzaine de centimètres d'épaisseur. Comment trouver des flèches dessinées par terre, dans ces conditions ?

Pierre Ross plaque ses mains sur ses tempes, de chaque côté de sa tête, et il appuie de toutes ses forces. Ce n'est pas le temps de craquer.

« Shit », murmure-t-il une dernière fois avant de courir vers son auto.

Déneiger sommairement le pare-brise. Puis retrouver Sabine, à tout prix. Rien d'autre n'a d'importance.

*

Une grande activité règne dans la salle à manger des Perreault-Bourdon. Installés autour de la table, Serge, Geneviève, Stéphanie, grand-papa Marcel et grand-maman France décorent des œufs. Dans la cuisine, Marie Lozier surveille la cuisson d'une deuxième douzaine d'œufs durs.

Quand elle s'est rendu compte qu'il neigeait, un peu plus tôt, Stéphanie a d'abord été ravie. « Ça va être Noël à Pâques ! s'est-elle exclamée. Deux fêtes en même temps ! » Puis, tout de suite après, elle s'est tournée vers ses parents avec un visage tragique. « Oh non ! a-t-elle murmuré. Les œufs… »

Serge et Geneviève ont aussitôt saisi la gravité de la situation. Chaque année, à Pâques, grand-papa Marcel et grand-maman France organisent une grande chasse aux œufs pour toute la famille. Ils vident d'abord soigneusement deux douzaines d'œufs, qu'ils mettent ensuite des jours à décorer avec art. Puis ils cachent ces œufs un peu partout dans la maison, ou dans le jardin, si le temps le permet. Et, le matin de Pâques, chacun se lance à la chasse aux œufs avec passion. C'est à qui trouvera le plus grand nombre d'œufs, sans les casser, bien sûr. Le gagnant remporte un gros œuf en chocolat confectionné par grand-maman France elle-même – et décoré par grand-papa Marcel – mais il s'attire surtout l'admiration de tous les autres, et reçoit le titre tant convoité de roi ou reine des œufs. L'an dernier, c'est Stéphanie qui a remporté cet honneur, et elle compte bien conserver son titre cette année. Sauf que…

Sauf qu'il y a quelques heures, juste avant le souper, grand-maman France a entendu à la radio que la journée de Pâques serait ensoleillée, et elle a décidé de cacher les œufs dans le jardin, après avoir soigneusement entouré chacun de pellicule plastique pour que la pluie n'efface pas les décorations. « Ainsi, a-t-elle dit à Stéphanie, je ne serai pas obligée de courir dans tous les coins, demain matin. Déjà que les préparatifs du dîner vont me tenir très occupée... »

« On ne trouvera pas les œufs, sous cette neige... », s'est désolée Stéphanie en constatant qu'un épais tapis blanc couvrait déjà le sol.

Pâques sans chasse aux œufs, ce n'est pas Pâques. Aussi, tout le monde s'est-il mis à la tâche sans tarder. On n'avait pas le temps de vider chaque œuf et de le décorer finement à l'aquarelle, mais on pouvait toujours appliquer de la gouache ou du crayon-feutre sur des œufs durs, non ?

Marie, que Geneviève Perreault a invitée pour qu'elle ne passe pas seule cette soirée anniversaire de la mort de Mathieu (ça fait une semaine, déjà), s'est portée volontaire pour faire cuire les œufs (« Je suis nulle en dessin », a-t-elle expliqué), grand-papa Marcel et grand-maman France ont été appelés en renfort, et la décoration des œufs avance gaiement.

Un coup de sonnette prolongé fait sursauter les artistes.

Serge Bourdon jette un coup d'œil à l'horloge accrochée au mur de la cuisine. Vingt heures. Qui cela peut-il bien être ?

Deuxième coup de sonnette, encore plus insistant.

« Ça va, ça va… J'arrive. »

À peine a-t-il déverrouillé la porte extérieure que Pierre Ross apparaît après avoir grimpé l'escalier intérieur trois marches à la fois. Il est pâle, tendu, plus échevelé encore que d'habitude. Sa tête et ses épaules sont saupoudrés de neige fondante.

« Sabine, dit-il d'une voix curieusement oppressée. Où est Sabine ? »

Geneviève Perreault sent l'angoisse l'envahir. Il n'y a pas de raison, pourtant. Elle se lève et fait deux pas vers Pierre, immobile près de la porte.

« Elle est à l'Oratoire pour la Vigile pascale, avec Xavier et Jérôme. Elle a passé la journée avec eux. »

Pierre fixe sur elle un regard qui la glace jusqu'au cœur.

« En es-tu bien sûre ? »

Brusquement, Geneviève n'est plus sûre de rien.

« C'est ce qu'ils ont dit », répond-elle d'une voix blanche.

En quelques mots, Pierre Ross parle du message laissé sur son cellulaire.

Debout dans la porte de la cuisine, Marie Lozier ne perd rien de l'échange. Quand Pierre répète les paroles de Sabine, elle porte les mains à son visage avec une exclamation étouffée.

« Oh non ! »

Pierre tourne alors le regard vers elle, et Marie a l'impression de chavirer. Ce sont les mêmes yeux qu'à l'église, des yeux très bleus sous des sourcils très noirs, mais le regard qui avait alors soutenu le sien et lui avait transmis sa force tranquille a complètement disparu. À cet instant, Pierre a un regard fou. Fou de douleur, d'angoisse et de désespoir. Marie reconnaît ce regard. C'est celui d'un père qui craint de perdre son enfant. Elle devait avoir le même quand elle cherchait Mathieu dans la nuit, une semaine plus tôt. Exactement une semaine plus tôt.

« Je vais à l'Oratoire », dit Pierre d'une voix sourde, les yeux toujours fixés sur ceux de Marie. « Je vais trouver Xavier et Jérôme et leur demander où est Sabine…

— Et s'ils n'y sont pas ? » demande Geneviève, pâle et immobile au milieu de la salle à manger. « S'ils sont avec Sabine, quelque part en compagnie de l'assassin ? »

Pierre secoue la tête.

« Ils ne sont pas avec Sabine. Dans son message, elle parle à la première personne. Elle est seule, c'est évident. »

Seule et en danger, ajoute-t-il en lui-même en tentant de faire taire la panique qui monte en lui à cette idée.

Il tourne les talons et commence à descendre l'escalier.

« Attendez ! dit Marie Lozier derrière lui. Je vais avec vous. »

*

La neige tombe toujours, fine et serrée. Les rues sont glissantes, la visibilité est nulle, mais Pierre fonce à toute vitesse dans la ville quasi déserte. L'avenue du Mont-Royal, la voie Camillien-Houde, le chemin de la Côte-des-Neiges (particulièrement bien nommé ce soir-là), le chemin Queen-Mary…

En route, il a grillé trois feux rouges et dérapé dangereusement dans une courbe, sur le mont Royal. Marie, assise à côté de lui, n'a pas sourcillé. Le trajet s'est déroulé dans un silence total.

Au moment où Pierre quitte le chemin Queen-Mary pour entrer sur le terrain de l'Oratoire, Marie ouvre la bouche pour la première fois.

«Allez tout en haut, dit-elle. On va avoir accès directement à la basilique.»

Mais la route proposée par Marie est fermée. Une voiture en panne en bloque l'accès.

Avec un juron, Pierre se gare devant la crypte. Aussitôt, un gardien de sécurité surgit.

«Vous n'avez pas le droit de rester là, dit-il. Vous devez aller dans le stationnement.»

Pierre brandit un badge.

«Police», lance-t-il d'une voix brève avant d'entrer dans la crypte au pas de course, suivi de près par Marie.

Ce n'est pas la première fois que Pierre vient à l'Oratoire, mais jamais il n'a trouvé le trajet jusqu'à la basilique aussi long, aussi compliqué. La crypte, un couloir, un escalier mobile, une grande salle, un autre escalier mobile… Ça ne finira donc jamais?

Pierre et Marie, à bout de souffle, arrivent enfin dans la basilique, où la Vigile pascale suit son cours. Les fidèles sont debout, des cierges allumés à la main.

« Aux sources de la vie nous venons puiser. Aux sources de la vie l'homme est libéré », chante la chorale pendant que l'on procède à la bénédiction des cierges.

Pierre ne voit rien de tout ça. Il fonce vers le chœur sans s'occuper du reste.

« Monsieur, monsieur ! Arrêtez ! Vous n'avez pas le droit ! »

Cette fois, Pierre ne se donne même pas la peine de sortir son badge. Il continue simplement à avancer à grandes enjambées, Marie à ses côtés. Dans l'assemblée, les gens commencent à murmurer, à les montrer du doigt. Dans le chœur, l'officiant fronce les sourcils, vaguement inquiet. Les Petits Chanteurs, eux, se poussent du coude en chuchotant.

« Regardez ! C'est le policier ! Il est avec la mère de Mathieu ! Qu'est-ce qu'ils viennent faire ici ? Peut-être qu'ils ont trouvé l'assassin ? Peut-être qu'ils sont venus l'arrêter ? Peut-être que c'est Chamberland ? Ou bien le père Blondin ? Peut-être que… »

Mais quand Pierre Ross arrive à l'avant de la basilique, ce n'est pas pour dire « Au nom de la loi, je vous arrête » ni pour passer les menottes au directeur de la chorale.

« Sabine ? lance-t-il vers l'assistance d'une voix qui résonne dans toute la basilique. Où est Sabine ? »

N'obtenant aucune réponse, il se tourne vers la chorale.

« Xavier ? lance-t-il d'une voix étranglée. Jérôme ? Où est Sabine ? »

Les deux garçons sortent des rangs.

« Elle n'est pas… elle n'est pas à la maison ? » demande Xavier dans un souffle.

Pour toute réponse, Pierre Ross agrippe les jeunes chanteurs par le bras et fait mine de les entraîner avec lui. Marie l'arrête en posant une main sur son épaule.

« Attendez, dit-elle doucement. Laissez-les au moins ôter leur aube… »

Pierre lâche les bras des garçons.

« Faites vite », dit-il simplement.

*

Pourvu qu'il ne soit rien arrivé à Sabine ! Pourvu qu'il ne soit rien arrivé à Sabine !

Tout en dévalant les escaliers en compagnie de Pierre Ross, de Marie Lozier et de Jérôme, Xavier ne peut que se répéter ces mots, encore et encore. Il y a déjà eu Mathieu. Il ne faut pas qu'il arrive malheur aussi à Sabine !

« Peut-être qu'elle est rentrée à la maison ? » risque-t-il d'une voix timide au moment où ils atteignent l'auto.

Pierre lui tend son cellulaire.

« Vérifie. »

Xavier appelle donc chez lui, où son père lui apprend qu'ils n'ont toujours pas nouvelles de Sabine.

*

Jérôme est si épouvanté qu'il ne parvient pas à formuler une seule pensée cohérente.

Sabine. Mathieu. Mathieu. Sabine.

Il les a abandonnés. Tous les deux, il les a abandonnés.

Les joues inondées de larmes, il ne se rend même pas compte qu'il gémit à voix haute.

*

Tout en fonçant vers la pharmacie où Xavier et Jérôme ont laissé Sabine quatre heures plus tôt, Pierre Ross, qui ne prie jamais, se surprend à prier.

Mon Dieu, protégez ma petite fille. Mon Dieu, mon Dieu...

Il ne sait pas vraiment s'il implore Dieu, ou le destin, ou la vie elle-même, mais il sait qu'il n'a jamais voulu quelque chose avec autant d'intensité, autant de désespoir.

Mon Dieu, faites qu'il ne lui arrive rien. Faites qu'elle n'ait pas peur. S'il vous plaît, faites qu'elle n'ait pas mal. Surtout, surtout, faites qu'elle ne soit pas...

Même en pensée, Pierre est incapable de compléter sa phrase.

Sabine, Sabine... Ma petite fille. Ma vie.

21

« C'est ici qu'elle était quand on est partis », indique Xavier en montrant l'entrée de la pharmacie.

Pierre Ross regarde autour de lui. Avec le temps qu'il fait, l'avenue du Mont-Royal est déserte, et la neige qui continue à s'accumuler sur le trottoir totalise maintenant une quinzaine de centimètres d'épaisseur. Impossible de distinguer des marques de craie là-dessous…

« Vous pourriez demander que le trottoir soit déneigé », suggère Xavier.

Le père de Sabine a un mouvement d'impatience. Le garçon s'imagine sans doute que les policiers ont tous les pouvoirs…

« Trop compliqué. Trop long. Et ça ne donnerait probablement rien. » Il désigne la pharmacie. « Je vais me renseigner à l'intérieur. »

La caissière à qui il s'adresse ne peut malheureusement pas lui dire grand-chose.

« Oui, j'ai remarqué la fille au poncho, mais je ne sais pas à quelle heure elle est partie.

— Avez-vous vu si elle était avec quelqu'un ? Si elle suivait quelqu'un ? »

La jeune femme secoue la tête.

« Aucune idée. Mais vous pouvez demander à Annie Medeiros, la pharmacienne. Je sais qu'elle est allée lui parler, à un moment donné. La fille était avec un autre jeune.

— C'était moi », dit Xavier.

La caissière le regarde.

« Ça se peut, oui. »

Pierre Ross se dirige déjà vers l'arrière de la pharmacie, où se trouve le comptoir des médicaments sur ordonnance.

*

« C'est votre fille ? répète Annie Medeiros en fronçant les sourcils. Et elle a disparu ? Mon Dieu, j'espère qu'il ne lui est pas arrivé malheur ! »

La jeune femme est sincèrement inquiète, et elle voudrait vraiment les aider.

« Je suis sûre qu'elle n'était plus là quand je suis sortie pour souper, vers dix-huit heures trente… » Elle se tourne vers la petite pièce où son patron finit de remplir une bouteille de comprimés. « Vous, monsieur Turcotte, avez-vous remarqué si la jeune fille au poncho était encore là quand vous êtes allé souper ? »

Alfred Turcotte met ses comprimés de côté et s'approche du comptoir.

« Malheureusement, dit-il, je n'ai pas l'esprit d'observation : je suis trop distrait. » Il appuie cette affirmation d'un hochement de tête. « Ainsi donc, reprend-il, c'est votre fille. Une enfant remarquable... Un peu curieuse, peut-être, mais... » Il hausse les épaules avec un petit sourire triste. « Je suis pas mal certain qu'elle n'était pas dans l'entrée de la pharmacie quand je suis revenu de souper, mais je n'ai pas remarqué si elle y était quand je suis parti... »

Pendant que le pharmacien parle, Xavier regarde un peu partout autour de lui. Soudain, il pousse une exclamation :

« Les caméras de surveillance ! Il y en a sûrement une qui a filmé Sabine... et l'assassin ! »

Aussitôt, tous les regards se tournent vers l'avant de la pharmacie, où se trouvent les caisses. Plusieurs caméras sont suspendues au plafond, pointées dans différentes directions.

Pierre saisit Xavier par les épaules et l'étreint brièvement.

« Bravo ! » dit-il simplement avant de se tourner vers Alfred Turcotte, à qui il demande qui est responsable des caméras vidéo.

« Simon Deland, le gérant. Je l'appelle tout de suite. Quant à moi, si vous voulez bien m'excuser… » Le pharmacien tend le bras vers la pièce du fond. « J'ai du travail… »

*

« Vous dites que votre fille vous a laissé le message à dix-sept heures dix-huit », récapitule le gérant quand ils sont tous installés dans son bureau, devant un petit écran permettant de visionner les bandes enregistrées par les caméras de surveillance. « À partir de quelle heure voulez-vous vérifier les enregistrements ? Dix-sept heures ? Dix-sept heures dix ? Dix-sept heures quinze ?

— Dix-sept heures dix, répond Pierre Ross. Sabine m'a appelé dès qu'elle a vu l'individu déposer ses bonbons.

— Et puis, Jérôme et moi, on est partis aux alentours de dix-sept heures dix, ajoute Xavier. À ce moment-là, il ne s'était encore rien passé.»

Simon Deland approuve d'un signe de tête.

« Dix-sept heures dix, alors. Je suggère de commencer par la caméra numéro 3, dit-il. C'est celle qui me semble la mieux placée pour capter ce qui se passe dans l'entrée... »

L'entrée de la pharmacie, dans laquelle se trouvent les machines à bonbons ainsi que le téléphone à partir duquel Sabine a appelé son père, est dotée de trois portes : la porte extérieure, qui donne sur l'avenue du Mont-Royal ; et, à l'intérieur, disposées à angle droit, l'entrée et la sortie de la pharmacie elle-même.

La caméra numéro 3 est pointée sur la caisse la plus proche de la sortie. L'image qu'elle fournit montre, légèrement en angle, la caisse elle-même et les clients qui s'y présentent ; vers la gauche, en arrière-plan, se trouve l'entrée de la pharmacie, dont on ne distingue pratiquement rien. Les murs qui séparent l'entrée et la pharmacie sont en verre, mais les reflets des lumières, la distance ainsi que la piètre qualité des images obtenues par la caméra de surveillance empêchent de bien voir ce qui se passe dans l'entrée, sauf quand la porte de sortie est ouverte. Dans ce cas, on peut en observer une partie. L'angle de la caméra permet d'apercevoir notamment le téléphone public, sur le mur du fond, et, plus près, juste à droite de la porte, les distributeurs de bonbons.

Pierre Ross et les autres fixent avec attention l'écran sur lequel défilent les images prises quelques heures plus tôt. Au bas de l'écran, l'heure est indiquée en surimpression.

17 h 10 – Une femme paie ses achats à la caisse. Elle prend sa monnaie, ramasse ses sacs et se dirige vers la sortie. Quand elle pousse la porte, on entrevoit, dans l'entrée, une silhouette qui disparaît aussitôt vers la droite.

« C'est elle ! C'est Sabine ! » s'exclame Xavier en pointant l'index sur l'écran.

Simon Deland fait reculer l'image, qu'il fige quand apparaît la silhouette étrangement bossue.

« C'est Sabine, répète Xavier. Elle avait son sac à dos sous son poncho. Stéphanie a dit qu'elle ressemblait à Quasimodo. »

Pierre Ross hoche la tête sans rien dire, les yeux rivés sur l'écran. Sa fille est là, devant lui, et il voudrait lui hurler d'arrêter, de faire attention, de rentrer à la maison... C'est ridicule, il le sait, et tout à fait inutile, mais...

« Qu'est-ce qu'elle fait ? demande Marie Lozier, assise à sa gauche.

— Elle entre dans la pharmacie, répond Simon Deland.

— Pour quelle raison ? » demande Xavier, sourcils froncés.

Simon Deland hausse les épaules.

« On va sûrement le savoir un peu plus loin dans l'enregistrement, dit-il en s'apprêtant à remettre la bande en marche.

— Attendez ! intervient Pierre Ross. Peut-être qu'elle venait de voir quelqu'un déposer les bonbons et qu'elle a décidé de le suivre à l'intérieur. Reculez donc un peu, pour voir. »

Simon Deland fait reculer l'enregistrement, sans résultat. La porte reste fermée, empêchant de distinguer ce qui se passe dans l'entrée, jusqu'à dix-sept heures six, heure à laquelle un adolescent coiffé d'une casquette quitte la pharmacie. Dans l'entrebâillement de la porte, on aperçoit trois jeunes qui discutent en faisant de grands gestes.

« C'est nous ! disent Jérôme et Xavier en même temps. C'est Sabine et nous ! »

Simon Deland jette un regard à Pierre Ross, qui lui dit de ramener la bande là où il l'a arrêtée précédemment.

« Quand Sabine entre dans la pharmacie », précise-t-il.

17 h 11 – Un homme vêtu d'un imperméable, et qui a sans doute payé ses achats à une caisse plus éloignée de la sortie, apparaît de dos au bas de l'écran. Il marche vers la sortie, pousse la porte et sort. Dans l'entrée, on ne distingue rien de spécial. Au même instant, une jeune fille arrive à la caisse située près de la sortie en poussant un panier lourdement chargé.

17 h 12 – Pendant que la caissière s'occupe des achats de la jeune fille, Sabine apparaît derrière celle-ci, un sac de chips et une cannette de 7-Up dans les mains (« C'est pour ça qu'elle est entrée dans la pharmacie », commente Jérôme à voix basse). Pendant qu'elle attend, une femme accompagnée d'un enfant, puis un homme qui porte plusieurs sacs apparaissent au bas de l'écran, se dirigent vers la sortie, poussent la porte et disparaissent. La première fois, on voit l'enfant s'arrêter près des machines à bonbons et lever la

tête vers sa mère. La deuxième fois, la mère et l'enfant ont disparu. L'homme qui sort se déplace légèrement vers la gauche pour laisser passer quelqu'un qui arrive de dehors, mais qu'on n'a pas le temps de voir à l'écran avant que la porte se referme.

17 h 13 – Au moment où Sabine dépose ses achats près de la caisse, Alfred Turcotte, le pharmacien, passe derrière elle pour aller vers la sortie. Il salue la caissière d'un petit signe de tête. Il pousse la porte et la tient ouverte un moment pour permettre à une femme qui marche avec des béquilles de sortir. Avant que la porte se referme, on voit Alfred Turcotte et la femme aux béquilles se diriger vers la porte qui donne sur le trottoir.

17 h 14 – Pendant que Sabine paie ses achats, la jeune fille qui la précédait à la caisse, et qui a des sacs plein les bras, ouvre la porte en s'appuyant dessus de tout son poids. Au moment où la porte se referme, on aperçoit une jambe qui s'approche des machines à bonbons.

17 h 15 – Sabine avance vers la sortie tout en ouvrant son sac de chips. Au moment de pousser la porte, elle a un brusque mouvement de surprise avant de s'immobiliser complètement. La tête

tournée vers la porte, à travers laquelle elle semble observer quelque chose, elle dépose son sac de chips et sa cannette de 7-Up sur le dessus du photocopieur qui se trouve à sa gauche et dont on voit l'extrémité à l'écran. Soudain, elle pousse vivement la porte et se penche vers un distributeur. Pendant que la porte se referme, on la voit prendre des bonbons dans le godet du distributeur et les mettre dans la poche droite de son blouson, sous son poncho. Il n'y a personne d'autre près des machines à bonbons.

17 h 16 – Une fillette d'une dizaine d'années paie une tablette de chocolat à la caisse située près de l'entrée. Avant de sortir, elle prend le temps de déballer son chocolat et d'en croquer quelques morceaux.

Devant l'écran, tout le monde retient son souffle. « Ouvre la porte ! implore Xavier à haute voix. Allez, ouvre la porte ! Il faut qu'on voie Sabine… »

17 h 17 – La fillette se décide enfin à sortir. Par la porte ouverte, on voit Sabine au téléphone, en train de gesticuler et de crier. Avant que la porte se referme complètement, on la voit raccrocher, puis se précipiter vers la rue.

La bande est muette, bien sûr, mais Pierre Ross a l'impression que toute la pièce résonne du cri de sa fille. « Papa... papa ! Je l'ai trouvé ! J'ai trouvé l'assassin ! » Il ferme les yeux un instant. Sabine, Sabine, qu'est-ce qui t'a pris de courir après lui ?

« Revenez deux ou trois minutes en arrière, dit-il à Simon Deland en rouvrant les yeux. Juste avant que Sabine aperçoive l'assassin. Et passez la bande au ralenti. »

Sabine est en train de payer ses achats. La jeune fille aux bras remplis de sacs s'appuie contre la porte pour sortir. Au moment où elle lâche la porte et commence à s'éloigner, une jambe apparaît dans l'entrebâillement, une jambe qui s'approche des distributeurs de bonbons.

« Stop ! » ordonne Pierre Ross, et Simon Deland immobilise aussitôt l'image.

Tout le monde a les yeux rivés sur la jambe, petite et floue à l'écran.

« C'est la jambe de l'assassin ? demande Jérôme à voix basse.

— Sûrement, répond Pierre Ross. Ça ne peut être que quelqu'un qui arrive de dehors et qui, au lieu d'entrer dans la pharmacie, reste plutôt dans l'entrée et se dirige vers les distributeurs. Dans quelques secondes à peine, Sabine va apercevoir l'assassin. Cette jambe ne peut appartenir qu'à l'assassin… »

La jambe, stoppée au milieu d'une enjambée, appartient clairement à un homme. Un homme qui semble vêtu de façon conservatrice, si on se fie à ce qu'on voit : un bas de pantalon au pli net, un bout de chaussette, un soulier fin.

« Faites avancer la bande image par image, dit Pierre Ross. On ne voit pas grand-chose à travers la vitre, mais on va peut-être arriver à distinguer sa silhouette. On aura une idée de sa grandeur, on verra peut-être s'il porte des lunettes, une barbe… »

Malheureusement, l'exercice ne donne pas grand-chose. On devine une ombre, sans plus.

« Il tient un parapluie, dit soudain Xavier en montrant quelque chose qui, effectivement, pourrait être le bout d'un parapluie.

— Avec le temps qu'il faisait, ça ne nous avance pas beaucoup, réplique Jérôme. Tout le monde avait un parapluie…

— Sauf que ça ne servait à rien, précise Xavier. Il ventait tellement que tout le monde était trempé de la tête aux pieds, de toute façon… »

Marie Lozier pousse une exclamation étouffée.

« Oh ! mon Dieu ! » dit-elle en portant une main à sa bouche.

Pierre Ross se tourne aussitôt vers elle.

« Qu'y a-t-il ? demande-t-il d'une voix tendue.

— Le pantalon… Le pantalon de l'assassin n'est pas mouillé du tout, pas plus que sa chaussure… Il ne venait pas de dehors.

— Pourtant, le sens de son enjambée… »

Il s'interrompt brusquement.

« Oh ! mon Dieu ! » dit-il à son tour en regardant Marie. Il se tourne ensuite vers Simon Deland. « Reculez jusqu'à ce qu'on voie Alfred Turcotte à l'écran », dit-il.

Bientôt, Alfred Turcotte apparaît à l'écran, droit et digne comme d'habitude. Comme d'habitude, aussi, il est impeccablement vêtu. Trench de couleur sombre, pantalon au pli net, chaussures de qualité… L'image a beau être floue, il n'y a aucun doute possible.

« C'est lui, dit Marie Lozier d'une voix étranglée. Il n'était pas parti, il avait simplement ouvert la porte pour permettre à la femme aux béquilles de sortir.

— Le parfait gentleman, comme toujours », conclut Pierre Ross d'une voix tremblante de rage avant de sortir du bureau de Simon Deland au pas de course.

*

« Monsieur Turcotte ? répète Annie Medeiros en ouvrant de grands yeux. Il est déjà parti. Il avait un rendez-vous important... »

22

À peine Alfred Turcotte a-t-il vu disparaître le petit groupe dans le bureau de Simon Deland qu'il quitte la pharmacie en vitesse après avoir dit à Annie Medeiros qu'il avait un rendez-vous important.

Il n'hésite même pas en découvrant le trottoir enneigé. Ce n'est vraiment pas le moment de s'attarder dans le coin. Tant pis pour ses souliers neufs et pour son pantalon impeccablement pressé… Le col de son trench bien relevé, les mains dans les poches, Alfred Turcotte affronte la tempête.

Il s'arrête au coin de la rue, à bout de souffle. La neige lui arrive à mi-mollets, et il a du mal à avancer. Pourtant, il n'a pas un instant à perdre. Il regarde autour de lui. La neige tombe toujours aussi dru, et la circulation se fait rare. Ce ne sont pas les conditions idéales pour trouver un taxi. À moins que… Le pharmacien se rappelle avoir déjà vu une file de taxis en attente, à deux ou trois rues de là. Avec un petit soupir, il baisse la tête, plonge les mains dans les poches de son manteau et recommence à avancer, très lentement, le long de l'avenue du Mont-Royal.

Au bout d'un laps de temps qu'il ose à peine imaginer et qui, de toute façon, ne peut être que trop long, il monte enfin dans un taxi et donne son adresse au chauffeur avant d'appuyer son dos endolori contre le dossier et de fermer les yeux un instant.

Ainsi, la jeune curieuse s'appelait Sabine et elle était la fille de ce policier. Le monde est petit, se dit Alfred Turcotte, qui a souvent eu l'occasion de vérifier la vérité contenue dans ces quelques mots.

Le pharmacien ne sait pas si les enregistrements sont compromettants pour lui, mais il juge préférable de ne courir aucun risque et de se débarrasser du cadavre au plus vite. Pour le reste, même si les policiers ont des soupçons, ils ne pourront rien prouver. Il s'est toujours montré très prudent.

Mais quelle malchance, tout de même, d'être tombé sur la fille de celui-là même qui était sur sa trace et qu'il avait réussi à envoyer sur la piste d'une hypothétique Virginie ou Caroline, le temps de se débarrasser de la petite fouine qui posait vraiment trop de questions et qui surveillait les distributeurs de bonbons d'un peu trop près. Ses copains, par contre, ne l'inquiètent pas trop, même s'il les a trouvés plutôt envahissants ce jour-là. Toute la journée, il a observé leur manège en se demandant quand il allait pouvoir mettre son plan à exécution. Pour cela, il fallait que la fille soit seule et que ses amis ne risquent pas de surgir de façon inopinée. Ce n'est qu'en fin de journée, alors qu'il commençait à désespérer, qu'il a vu les deux garçons partir ensemble, traverser la rue en courant et monter dans l'autobus qui arrivait à ce moment-là. Tout vient à point à qui sait attendre, s'est-il dit avant d'annoncer à Annie Medeiros qu'il allait souper chez lui. Le reste a été un jeu d'enfant. Il s'est assuré que la jeune curieuse le voyait déposer des bonbons dans la machine et qu'elle les en retirait, puis qu'elle le suivait jusque chez lui. Il n'a eu qu'à ouvrir la porte menant à l'ancienne cave à charbon, puis à y pousser la petite fouine qui, évidemment, n'a pu résister à la tentation de venir voir ce qui se trouvait là... La dénommée Sabine était brillante, Alfred Turcotte ne peut le nier, mais tellement prévisible!

« Ça fait 4,50$. »

Le pharmacien sursaute. Il était vraiment perdu dans ses pensées... Il ne sait même pas combien de temps a duré le trajet.

Il tend un billet de cinq dollars au chauffeur, descend du taxi et monte les trois marches menant à son balcon. Il entre et, sans prendre la peine d'enlever son trench ni ses souliers détrempés, il suit le couloir jusqu'à la porte qui se trouve juste avant la salle à manger, la porte qui donne accès au sous-sol, d'où il pourra se rendre dans la portion de la cave où il a laissé Sabine.

Il ne se demande même pas si celle-ci est déjà morte. Un des avantages du cyanure, c'est sa rapidité d'action. La jeune fille a d'abord dû éprouver des maux de tête, de la somnolence et des vertiges avant d'avoir des convulsions, puis de sombrer dans le coma. La mort a dû suivre rapidement, causée par un arrêt cardiaque.

Sur le coup, il a un peu regretté d'avoir à modifier sa stratégie, mais, à présent, il se réjouit d'avoir eu recours au cyanure plutôt qu'à son anticoagulant habituel. Il ne pouvait quand même pas espérer que Sabine se blesse d'elle-même et qu'elle se mette à saigner... Quant à lui infliger lui-même des coups ou des blessures, il n'en était simplement pas question. Il n'est pas un tueur.

Je ne suis que la main de Dieu, se répète Alfred Turcotte en ouvrant la porte menant au sous-sol. L'humble instrument du destin.

*

En entendant une porte s'ouvrir au loin et des pas progresser au-dessus de sa tête, Sabine s'immobilise, tous les sens en alerte. Que se passe-t-il ?

Après le départ du pharmacien, elle a d'abord fouillé à tâtons dans son sac à dos, où elle a fini par trouver sa petite lampe de poche. Ensuite, la lampe de poche entre les dents, elle a tenté de forcer la porte par laquelle elle était entrée, mais elle s'est vite rendu compte que celle-ci ne céderait jamais. Elle était soigneusement capitonnée et, sous le rembourrage, elle semblait lourde, solide, et constituée d'un matériau très dur. Du fer ? Du béton ? Sabine n'a pas perdu de temps à essayer de le découvrir.

Sa lampe de poche à la main, elle a ensuite examiné la minuscule pièce de terre battue où elle était enfermée, et dont le plafond était très bas, et en est venue à la conclusion qu'il s'agissait sans doute d'un réduit ayant déjà servi à entreposer du charbon : des traces noires et très salissantes parsemaient le sol et les murs. Sinon, la pièce était nue.

À ce moment, elle a éteint sa lampe de poche, afin d'économiser les piles, elle s'est assise par terre et elle a réfléchi. Il fallait qu'elle sorte de là, c'était évident. Le pharmacien allait sûrement finir par revenir, et elle n'avait aucune envie d'être encore là à son retour. L'effet du cyanure était fulgurant, avait dit l'assassin. Il s'attendrait donc à la trouver morte. Or, Sabine n'avait pas l'intention de mourir, ni même d'avoir l'air morte. Avec un petit sourire, elle a glissé la main dans la poche de son blouson, où se trouvaient les bonbons empoisonnés au cyanure. Heureusement qu'elle avait pensé à mettre des échantillons de bonbons dans son sac à dos... et qu'elle avait réussi à prendre trois de ceux-ci et à les avaler sans que le pharmacien découvre la supercherie !

Encouragée par l'idée qu'elle avait réussi à tromper un homme coupable de plusieurs meurtres, Sabine s'est relevée et a entrepris d'explorer sa prison. Une chose était sûre : elle n'allait pas attendre la mort sans rien faire.

À la lueur de sa lampe de poche, elle a donc examiné systématiquement le sol, le plafond et les murs de sa prison. C'est ainsi qu'elle a découvert une trappe, dans le haut du mur opposé à l'entrée.

La trappe ne s'est pas ouverte facilement (ç'aurait été trop beau), mais, à force de pousser, de gratter, de s'écorcher les ongles et d'user son canif, Sabine a réussi à la pousser et à se hisser dans l'ouverture ainsi obtenue.

Une fois de l'autre côté, elle a pointé le faisceau de sa lampe de poche un peu partout autour d'elle. La pièce dans laquelle elle se trouvait maintenant était plus haute que le réduit où le pharmacien l'avait enfermée, mais il était clair qu'il s'agissait d'un sous-sol. Les rares fenêtres étaient petites, grillagées et situées tout au haut d'un des murs. Une odeur de renfermé imprégnait les lieux, d'où se dégageait une impression d'abandon. Des boîtes de carton poussiéreuses s'empilaient le long d'un mur. Une petite pièce humide servait visiblement de salle de lavage…

Finalement, dans un coin, Sabine a aperçu un escalier.

C'est au moment où elle s'apprêtait à monter cet escalier qu'elle a entendu une porte s'ouvrir et des pas s'avancer au-dessus d'elle.

*

Alfred Turcotte ne se méfie absolument pas. Son unique pensée, quand il ouvre la porte menant au sous-sol, c'est qu'il doit faire vite. Il va utiliser la grande bâche qui se trouve dans la salle de lavage pour en envelopper le cadavre de la petite fouine. Le lieutenant-détective Pierre Ross n'est pas du genre à laisser traîner les choses, et il est fou d'inquiétude quant au sort de sa fille. Pas question, par conséquent, de lui laisser le temps de découvrir le corps de Sabine ici, dans l'ancien réduit à charbon.

Une fois la porte ouverte, Alfred Turcotte pose le pied droit sur la première marche. Aussitôt, une bête furieuse se rue sur lui et tente de l'écarter afin de s'enfuir. Le pharmacien ne prend même pas le temps de réfléchir. Il lève les mains devant lui et pousse de toutes ses forces.

Avec un cri d'effroi, Sabine tombe à la renverse. Elle dégringole jusqu'au pied de l'escalier, où elle reste allongée, la jambe droite bizarrement repliée sous elle.

*

En haut de l'escalier, Alfred Turcotte est pétrifié. Ce n'est pas possible. La petite fouine ne peut pas être encore vivante. La dose de cyanure qu'il lui a fait avaler aurait tué un bœuf…

Il descend quelques marches, s'arrête, observe Sabine qui gémit doucement, toujours étendue au bas des marches.

« Papa… »

Alfred Turcotte laisse échapper un ricanement.

« Ton père ne peut rien pour toi », dit-il d'une voix qui n'a plus rien de digne ni de grave.

C'est le diable, songe Sabine entre deux élancements. Je suis tombée aux mains du diable…

Le diable descend encore quelques marches. Il n'est plus qu'à quelques pas de Sabine, incapable de bouger. C'est fini, se dit l'adolescente. Il va me tuer.

« Je ne comprends pas, dit Alfred Turcotte d'une voix grinçante. Tu devrais être morte. »

Malgré sa douleur, malgré sa terreur, Sabine ne peut s'empêcher de sourire. Elle a trompé le diable. Tout le monde ne peut pas en dire autant.

« Je ne les ai pas pris, les bonbons, dit-elle d'une voix affaiblie par la souffrance. Ils sont encore dans ma poche… »

D'abord, Alfred Turcotte ne réagit pas. Puis...

« Quoi ?! » rugit-il.

Il dévale les dernières marches à toute vitesse et se penche sur Sabine, qui lutte pour ne pas perdre conscience. Au moment où il va fouiller ses poches, un fracas se fait entendre au rez-de-chaussée.

« Police ! » hurle la voix de Pierre Ross, qui vient d'enfoncer la porte d'en avant. « Rendez-vous, sinon je ne réponds pas de mes actes... »

23

Déjà, les pas du policier s'approchent de l'escalier.

« Papa ! » crie Sabine en rassemblant toutes ses forces.

En quête d'une issue, Alfred Turcotte jette un regard affolé autour de lui. Soudain, il aperçoit la trappe menant à l'ancien réduit à charbon, et son regard s'illumine. C'est que, contrairement à Sabine, le pharmacien possède la clé de la lourde porte capitonnée…

Alfred Turcotte vient à peine de refermer la trappe derrière lui que Pierre Ross apparaît au haut de l'escalier.

« Papa… », répète Sabine d'une voix plus faible.

Pierre Ross a l'impression qu'on vient de lui scier les deux jambes. Il doit se retenir au cadre de porte pour ne pas tomber.

« Sabine ! » murmure-t-il d'une voix étranglée avant de dévaler les marches quatre par quatre. « Sabine, oh ! mon Dieu, Sabine ! » répète-t-il en prenant sa fille dans ses bras.

Celle-ci ne peut s'empêcher de grimacer de douleur.

Aussitôt, son père s'affole. Sabine, sa Sabine adorée, a été détenue par le maniaque au poison, dont toutes les victimes ont succombé à des hémorragies massives. Et Sabine est blessée. En ce moment même, elle est peut-être en train de se vider de son sang !

Pierre Ross saisit son cellulaire et compose un numéro d'un doigt tremblant.

« C'est Ross ! hurle-t-il dès que quelqu'un décroche. Envoyez une équipe médicale de toute urgence à… à…

— 4423, Christophe-Colomb, souffle Marie Lozier, qui vient d'arriver près de lui.

— 4423, Christophe-Colomb, répète Pierre Ross d'une voix tendue. Il faut qu'ils puissent contrer les effets d'un anti-coagulant puissant, l'hépacourine. »

Dans ses bras, Sabine remue la tête de gauche à droite.

« Non, dit-elle d'une toute petite voix. Je n'ai pas pris d'hépacourine. Mais je pense que j'ai une jambe cassée… Tu vas arrêter l'assassin, hein, papa ? »

Puis elle s'évanouit.

*

« Pierre ! Pierrre ! »

La voix de Xavier tire le policier de la panique dans laquelle l'a plongé l'éva-nouissement de sa fille. Il lève la tête et aperçoit l'adolescent au haut des marches.

« Pierre ! Le pharmacien est en train de se sauver ! Il vient de sortir du garage avec son auto… »

Pierre Ross est déchiré. Le policier veut se lancer à la poursuite du meurtrier, mais le père ne peut se résoudre à abandonner sa fille, toujours inconsciente dans ses bras.

« Allez-y, dit Marie Lozier à voix basse. Je vais m'occuper d'elle. »

Pierre tourne vers Marie un regard égaré.

« Sabine, dit-il dans un souffle. Il ne faut pas qu'elle meure… »

Marie soutient son regard.

« Elle ne mourra pas », dit-elle avec assurance.

Étrangement, Pierre est apaisé. D'un seul coup, il sait que Marie dit vrai. Il glisse la main de Sabine dans celle de Marie, se détache très doucement de sa fille, puis, après les avoir enveloppées toutes les deux d'un dernier regard, il commence à grimper l'escalier.

« Pierre ! »

Le détective se tourne vers Marie.

« Soyez prudent. »

*

L'avantage, avec cette neige, se dit Pierre Ross un peu plus tard, c'est que les rues sont désertes. Et aussi qu'on peut suivre les traces de Turcotte facilement…

Quand le détective est sorti du domicile d'Alfred Turcotte, Xavier et Jérôme – à qui le policier avait demandé de rester dehors par mesure de sécurité – lui ont indiqué que la voiture du pharmacien était grise, et qu'ils l'avaient perdue de vue au moment où elle s'engageait dans la rue bordant le parc La Fontaine.

Pierre Ross s'est aussitôt lancé à sa poursuite. En arrivant près de la rue Sherbrooke, il a aperçu la voiture grise qui virait à gauche sur un feu rouge. À Papineau, elle a tourné à droite en dérapant, frôlant une file de voitures stationnées.

Petit à petit, l'écart entre les deux véhicules se réduit. Au coin de Sainte-Catherine, Pierre Ross n'est plus qu'à une dizaine de mètres du pharmacien. Celui-ci a sans doute aperçu son poursuivant et il accélère. Il brûle un autre feu rouge, évite de justesse une voiture qui roule en direction nord et freine à mort en voyant surgir un groupe de fêtards dans la lumière de ses phares. Un tête-à-queue, une longue glissade, et la voiture d'Alfred Turcotte s'immobilise enfin après avoir percuté un poteau.

Pierre Ross s'arrête à quelques mètres de la voiture accidentée. Il sort de son auto, revolver au poing, et s'approche du véhicule d'où sort justement le pharmacien.

Les deux hommes restent immobiles, l'un devant l'autre.

Quand Alfred Turcotte a heurté le poteau, sa tête a frappé le pare-brise, et son front s'orne maintenant d'une étoile sanglante.

Bien fait pour lui, songe Pierre Ross en pensant à Mathieu, à Andrew et à Julie-Anne. En pensant à Sabine. Puis il secoue la tête. Non, il ne doit pas penser à Sabine. Il est ici en tant que policier, pas en tant que père de Sabine.

Le policier qu'il est croit à la justice et au droit, jugeant qu'il s'agit là de valeurs fondamentales de la civilisation. Il refuse un monde où régneraient les vengeances individuelles, la loi du plus fort, la loi de la jungle.

Le père de Sabine, lui, voudrait se jeter sur Alfred Turcotte et lui arracher les yeux. Le battre et le torturer pour lui faire expier tout le mal qu'il a fait à sa fille et aux autres enfants.

À peine a-t-il pensé cela que Pierre Ross se reprend. Non, ce n'est pas vrai. Le père de Sabine, lui aussi, veut que sa fille vive dans un monde où la justice est l'affaire de tous, pas celle d'individus qui défendent leurs seuls intérêts.

Et, dans le cas qui l'occupe en ce moment, pour que la justice triomphe et qu'Alfred Turcotte soit puni comme il le mérite, il importe de ne faire aucune erreur, de ne commettre aucune bavure qui pourrait nuire au procès ou permettre au pharmacien de s'en tirer à cause d'un détail technique ou d'un vice de procédure.

Il s'approche davantage du pharmacien.

« Alfred Turcotte, dit-il d'une voix ferme, vous êtes en état d'arrestation. Vous êtes accusé des meurtres d'Andrew Mason-Beauchamp, de Julie-Anne Hamel et de Mathieu Lozier. Vous êtes également accusé de séquestration et de voies de fait sur la personne de Sabine Ross. Vous avez le droit de retenir les services d'un avocat... »

Jour 8

7 avril
Dimanche de Pâques –
Résurrection du Christ

O quam preciosa erit vita,
O quam pulchra est deique donantia…

Combien précieuse sera la vie,
Comme il est beau le don de Dieu…

(Chant de l'Église de Rome pour le jour de
Pâques)

24

Il est près de trois heures du matin quand Pierre Ross arrive devant chez lui. Il a enfin cessé de neiger, et, dans la lueur des lampadaires, la rue est étrangement belle. Ouatée, paisible, incroyablement douce. Aux antipodes de la journée qu'il vient de vivre.

Avant d'entrer, il jette un coup d'œil à la maison voisine, où vivent les Perreault-Bourdon. Sabine a-t-elle pu monter au troisième étage, avec son plâtre ? Peut-être est-elle allée dormir plutôt chez grand-maman France et grand-papa Marcel ?

Plus que tout au monde, Pierre voudrait voir Sabine, la serrer contre lui, s'assurer qu'elle va bien, qu'elle n'a pas trop mal. Mais il ne peut décemment pas sonner chez les gens à une heure pareille. Encore heureux qu'il ait eu des nouvelles de sa fille par Marie Lozier, qui a laissé un message sur son cellulaire pendant qu'il était au quartier général du SPCUM pour faire part des derniers développements au directeur, Raymond Marquis.

« Pierre, c'est Marie. Sabine va bien. Elle a une fracture simple du tibia et du péroné, mais l'orthopédiste assure qu'il n'y aura pas de séquelles. Il est onze heures, nous sommes encore à l'hôpital avec Jérôme et Xavier, mais nous allons partir bientôt, dès que le plâtre sera sec... Je... Bonne nuit. »

Sabine va bien. En entendant ces trois mots, Pierre a fermé les yeux et il est resté un instant immobile – épuisé, ému, incroyablement soulagé. Sabine va bien. Alors qu'elle aurait pu...

Pierre se secoue. Non, il ne va pas se torturer en imaginant tout ce qui aurait pu tourner mal. Sabine va bien, c'est tout ce qui importe.

*

Une lumière brille dans la pièce centrale qui sert de salon, au bout du couloir. Pierre fronce les sourcils. Qui peut bien...? Il avance vers le salon à grands pas.

«Chut! dit Marie Lozier à voix basse. Sabine dort…»

Puis, constatant que le détective reste là sans bouger, les bras ballants et des questions plein les yeux, elle ajoute:

«Sabine tenait beaucoup à dormir ici. Elle voulait être sûre de vous voir dès votre retour. Elle voulait être sûre que vous alliez bien.»

Pierre hoche la tête, imperceptiblement.

«Elle est dans sa chambre? demande-t-il avec un geste vers l'arrière de l'appartement, au-delà de la cuisine, où se trouve la chambre de sa fille.

— Oui.»

Il fait trois pas dans cette direction puis se tourne vers Marie.

«Vous ne partez pas tout de suite, hein? Vous attendez que je revienne?»

Marie hoche la tête.

«Je vais attendre, oui.»

Elle attend donc, dix minutes, puis quinze, mais Pierre ne revient pas. Au bout d'un moment, elle va jusqu'à la chambre de Sabine et esquisse un sourire en découvrant Pierre profondément endormi à côté de sa fille. Il a les pieds qui dépassent du lit, une main qui traîne par terre, et sa position semble particulièrement inconfortable, mais son autre main repose près de celle de Sabine, sa tête touche celle de sa fille, et il semble plus détendu que Marie ne l'a vu jusque-là. Elle ne va quand même pas le déranger.

Elle reste un long moment à observer le père et la fille. Ainsi endormis, ils lui semblent aussi fragiles l'un que l'autre, aussi vulnérables. Elle a beau se répéter que c'est ridicule, que Pierre Ross doit avoir tout près de quarante ans, qu'il est solide et compétent et qu'il n'a aucun besoin de sa protection, l'impression persiste. Et Marie continue à détailler le visage fatigué du policier, les traits pâles, les joues et le menton ombrés de poils rudes, les cernes sous les yeux, les cheveux noirs en bataille, parsemés d'un bon nombre de fils blancs…

Soudain, Sabine sursaute et marmonne quelque chose dans son sommeil. Aussitôt, sans même ouvrir les yeux, Pierre pose une main sur celle de sa fille et frotte sa joue rugueuse contre la tête noire et ébouriffée de l'adolescente. Sabine sourit dans son sommeil. Pour un peu, elle se mettrait à ronronner, songe Marie, qui sent les larmes lui monter aux yeux.

Le père et la fille sont ensemble, ils sont proches l'un de l'autre, ils peuvent se toucher et se rassurer. Ils ont eu terriblement peur, mais le cauchemar est terminé, et ils sont enfin réunis. Alors que Mathieu…

D'un seul coup, l'absence de Mathieu est réelle, aiguë, et blesse Marie aussi cruellement que si on lui avait fiché une épée en plein ventre, en plein cœur. Mathieu, oh! Mathieu!

Marie s'enfuit de la chambre de Sabine en faisant claquer la porte derrière elle.

*

Ça fait une semaine, Mathieu. Une semaine qui a duré une éternité. Et j'ai mal, j'ai tellement mal…

Roulée en boule sur le canapé du salon, Marie parle à Mathieu dans sa tête. Elle lui parle comme elle l'a fait des dizaines de fois depuis une semaine, elle lui parle parce qu'elle ne peut pas faire autrement, mais elle n'est pas du tout certaine qu'il l'entende. La mère de son amie Geneviève, grand-maman France, croit que les morts sont au ciel, quelque part, où ils voient et entendent les vivants, où ils peuvent même intercéder pour eux. Plus tôt, ce soir, quand Marie lui a téléphoné pour dire que Sabine était retrouvée et qu'elle était vivante, grand-maman France a affirmé que Mathieu avait aidé Sabine, que c'était probablement grâce à lui si l'adolescente était encore en vie. Marie aimerait le croire aussi, mais elle n'y arrive pas. Elle ne sait pas si Mathieu vit encore ailleurs que dans son souvenir à elle, dans son esprit, dans son corps qui garde la mémoire du bébé qu'elle a porté dans son ventre, qu'elle a choyé, dorloté, caressé…

Marie gémit doucement. La douleur est aussi vive qu'au premier jour. Plus, peut-être, parce qu'elle dure, qu'elle renaît sans cesse. Mathieu n'est pas mort seulement le 30 mars aux alentours de dix-huit heures trente. Il meurt chaque jour, heure après heure, minute après minute, chaque fois qu'il est absent de ce monde. Un monde qui est si vaste et si vide sans lui.

Ce soir, pourtant, l'espace de quelques heures, Marie a oublié Mathieu.

Quand elle a croisé le regard de Pierre Ross chez Geneviève, quand elle a vu la détresse dans ses yeux, elle s'est sentie arrachée à elle-même et à sa peine. Cet homme avait peur, et elle pouvait l'aider. Malgré sa propre douleur – ou peut-être à cause d'elle –, elle pouvait participer à la souffrance d'un autre et tenter de l'alléger. Elle pouvait aider.

J'ai eu peur pour Sabine, Mathieu. J'ai eu mal pour Pierre. Je ne croyais pas cela possible, mais c'est arrivé. Pendant quelques heures, les vivants ont importé plus que toi, Mathieu, mon amour, mon enfant mort. Sabine, Pierre…

Peut-être même qu'un jour je vais apprendre à vivre sans toi… À rire, à aimer… Mais je ne t'oublierai pas. Jamais. Comment pourrais-je t'oublier ? Tu fais partie de moi…

Mon ventre se souvient de toi, mes bras aussi, et toute ma peau. Mes oreilles, mes yeux, mes narines, la paume de mes mains… Et ma tête, et mon cœur. La moindre parcelle de moi se souvient de la moindre parcelle de toi. Mon bébé, mon enfant, mon petit et grand garçon… Le jour où mon corps t'aura oublié, où ma tête, mon cœur et mon ventre t'auront oublié, ce jour-là, je serai morte aussi.

Et, dans la nuit enveloppée de silence, Marie se met à pleurer, pour la première fois depuis la mort de Mathieu. Elle pleure longtemps, sans retenue, libérant toutes ces larmes qui l'étouffaient par en dedans.

Debout dans la chambre de Sabine, le front appuyé contre la porte, Pierre écoute Marie pleurer.

Il a commencé par se lever avec l'idée d'aller la consoler, puis il s'est ravisé. Les larmes sont souvent libératrices. Pleurer ne peut faire que du bien à Marie. Et puis, il comprend ce qu'elle ressent. Lui-même, s'il avait fallu que Sabine meure...

Avec un sursaut, Pierre se reprend. Non, il ne comprend pas ce que Marie Lozier ressent. Il ne peut pas comprendre. Personne ne peut comprendre. Ce soir, quand il cherchait désespérément Sabine disparue, il s'est approché de ce que Marie a dû ressentir en constatant que Mathieu ne rentrait pas, samedi soir dernier. L'angoisse, la peur qui tenaille le ventre, le cœur qui craint le pire, la tête qui nie que le pire puisse arriver... Mais ce qu'il a vécu de commun avec Marie s'arrête là. Parce que Sabine est vivante et que Mathieu est mort – et que ça fait toute la différence du monde. Vivant. Mort. Avant. Après. Et il n'y a rien à faire, rien. On ne peut pas revenir en arrière, reculer de cinq minutes, d'une heure, de quelques jours... On ne peut pas changer le cours des choses, se rendre à l'hôpital à temps, garder le train sur ses rails, poser le bon diagnostic, rattraper l'enfant qui tombe, stopper le conducteur fou, empêcher Mathieu de manger des jujubes rouges... On ne peut rien. Sinon pleurer, hurler, se taper la tête contre les murs. Et continuer à vivre, jour après jour, du mieux qu'on peut, en espérant que cette mort aura au moins servi à quelque chose.

*

« Papa... »
Pierre a fini par se recoucher, et il a dû se rendormir, puisque c'est la voix de Sabine qui le tire du sommeil, au petit matin. Il ouvre les yeux et regarde sa fille, tout près de lui. Des yeux si bleus avec des cheveux si noirs, a dit Marie Lozier quelques jours plus tôt. Pierre caresse les cheveux si noirs, et voit les yeux si bleus s'emplir de larmes.

« Tu as mal ? » demande-t-il d'une voix inquiète.

Sabine secoue la tête.

« Non. Je suis bien. »

Pierre sent sa gorge se nouer.

« Je t'aime », dit-il.

Le visage de Sabine s'illumine.

« C'est vrai ? Tu m'aimes ? Même si je suis trop curieuse ? L'horrible pharmacien a dit que la curiosité est un vilain défaut... »

Pierre plante un baiser sur la tête noire et ébouriffée en tâchant d'oublier son inquiétude de la veille, et toutes les émotions que lui a fait vivre sa fille, sa fille curieuse, unique et merveilleusement vivante.

« Tu sais, dit-il, sans curiosité, le monde serait probablement encore à l'âge de pierre... »

25

Quand Marie arrive dans la cuisine, Pierre Ross, debout devant le réfrigérateur ouvert, lui adresse une petite grimace comique. Il doit sortir de la douche, car il a encore les cheveux mouillés. Il est vêtu d'un jean délavé et d'un t-shirt gris, il est rasé de frais, il semble reposé, et

Marie a l'impression qu'il a rajeuni de dix ans depuis la veille.

« J'avais l'intention de vous préparer un déjeuner de rêve, dit-il, mais il me manque quelques ingrédients...

— Tu as quoi, exactement ? » demande Sabine, qui vient d'apparaître du côté opposé de la cuisine, appuyée sur ses béquilles.

Son père se gratte la tête.

« Des biscuits soda, des cornichons, des sardines. Et des conf... » Il dévisse le couvercle du pot de confitures et jette un coup d'œil à la mixture gélatineuse hérissée de moisissures vertes et blanches. « Et pas de confitures », soupire-t-il pendant que Sabine pouffe de rire.

Il a l'air tellement désemparé que Marie ne peut s'empêcher de sourire.

« Si vous alliez faire un tour chez grand-maman France, suggère-t-elle. Je suis sûre qu'elle a du pain, du lait, des céréales et du café. Peut-être même des croissants et du chocolat... »

Pierre est déjà parti.

*

En attendant que Pierre revienne, Marie prend une longue douche. Eau chaude, eau froide, eau chaude encore une fois. Quand elle sort de la salle de bain, enveloppée d'une robe de chambre trop grande pour elle, une odeur de café et de croissants chauds lui chatouille le nez. Elle s'arrête au milieu du couloir, ferme les yeux et hume longuement l'air. Dans la cuisine, Sabine éclate de rire.

Les yeux toujours fermés, Marie se dit qu'elle prendrait beaucoup de matins comme celui-là. Une douche, une odeur de café, un rire d'enfant…

*

À onze heures pile, les Petits Chanteurs font leur entrée dans la basilique pour la messe solennelle de Pâques. Comme toujours, ils défilent deux par deux, et Xavier est particulièrement conscient de la place vide à côté de lui.

Ça fait une semaine, se dit-il. Une semaine que Jérôme nous a appris la mort de Mathieu. Il s'en est passé, des choses, en une semaine…

Dans l'assistance, il aperçoit Sabine, assise entre son père et Marie Lozier, qui lui fait un petit signe de la main. Brusquement, Xavier sent les larmes lui monter aux yeux. Sabine est là, Sabine est vivante, Sabine lui sourit en rougissant un peu. Merci, mon Dieu !

« Le Christ a traversé la mort et l'a vaincue, dit l'officiant. En ce matin de Pâques, nous proclamons avec fierté et avec joie qu'Il est ressuscité ! »

« *Jubilate Deo, cantate Domino* ! clament les Petits Chanteurs. *Jubilate Deo, cantate Domino* ! »

Merci, mon Dieu ! Merci, la vie ! se répète Pierre Ross avec un regard pour Sabine et Marie, assises près de lui. Merci, merci…

Il n'écoute pas vraiment les lectures, les sermons et les prières, mais il partage l'allégresse de l'assemblée, participe de tout son être à la célébration de la vie qu'est la fête de Pâques.

« *Christus Dominus resurrexit…* » Christ est ressuscité…

Marie, à voix très basse, prend part aux chants. Elle a les joues baignées de larmes, mais elle se sent apaisée. Merci, mon Dieu ! Sabine est vivante, la musique est revenue… Et j'ai eu l'immense bonheur de connaître Mathieu pendant douze ans.

Merci, Mathieu. Merci d'avoir été là. Merci d'avoir été toi.

Sentant que quelqu'un l'observe, elle tourne légèrement la tête et croise le regard de Pierre, posé sur elle. Marie sourit à travers ses larmes. Il y a ce regard, aussi, ce regard si bleu posé sur sa vie.

« *Alleluia, alleluia…* »

« Partageons le signe de la paix », dit l'officiant, et, partout autour d'eux, les fidèles échangent des poignées de main. Pierre regarde Sabine et Marie. Soudain, submergé par une émotion qu'il serait bien incapable de nommer, il les serre toutes les deux dans ses bras. Les yeux fermés, il les sent respirer contre lui. Il ne demande rien d'autre, il ne veut rien d'autre. Sabine et Marie, proches et vivantes. Marie et Sabine. Toute la beauté et la fragilité du monde entre ses bras.

*

À la fin de la messe, pendant que la chorale multiplie les alléluias, Sabine insiste pour admirer la ville depuis le grand portique de la basilique. Un soleil timide perce à travers les nuages, et la ville enneigée baigne dans une lumière voilée, diffuse, presque irréelle.

« On se croirait au ciel », chuchote Sabine.

Son père lui ébouriffe les cheveux.

« Personnellement, je préfère qu'on soit sur terre. La vie est belle… »

À côté d'eux, Marie observe la lumière en silence.

C'est vrai, se dit-elle, la vie est belle. Terriblement fragile, mais forte, aussi. Et belle, oui. Tellement belle.

Épilogue

Ils sont passés chez Marie pour nourrir les chats et les flatter un peu.

« Voici Grisoune », a dit Marie en tendant la petite chatte grise à Sabine, qui a aussitôt enfoui son visage dans la fourrure douce et chaude. « Lui, c'est Noiret, a-t-elle ajouté en montrant le gros chat bien gras couché à côté du piano. Et eux, a-t-elle précisé à l'intention des chats, ce sont Sabine et Pierre. Des amis. »

Ensuite, ils ont acheté des fleurs, beaucoup de fleurs, qu'ils ont données à grand-maman France en arrivant chez elle, où il y avait foule.

« Enfin ! s'est exclamée Stéphanie en les apercevant. On attendait que vous arriviez pour commencer la chasse aux œufs ! »

Sabine ne pouvait pas courir dans tous les coins, avec son plâtre, aussi a-t-elle décidé de ne pas participer à la chasse.

« Ça ne fait rien, lui a chuchoté Stéphanie à l'oreille. Je vais te donner une partie de mes œufs… »

Xavier et Jérôme en ont fait autant, Marie et Pierre aussi, de même que la tante Alice et son amie Julie, si bien que Sabine, sans avoir quitté son fauteuil, a été couronnée reine des œufs.

Après la chasse aux œufs, ils ont mangé, très longtemps et très copieusement. Et les voici rendus au dessert.

« Sabine n'est pas seulement la reine des œufs, affirme Jérôme le plus sérieusement du monde. C'est aussi la reine des tartes. C'est à elle qu'on doit cette extraordinaire tarte aux pommes, et cette tarte aux poires, et… »

Pendant que Sabine fait mine de se fâcher et que tout le monde éclate de rire, l'oncle Louis, assis au bout de la table, observe les desserts avec des yeux brillants.

« Il y a des tartes, et des œufs, et aussi du gâteau au chocolat ! dit-il d'une voix émerveillée. C'est bon, du bon gâteau au chocolat… »

Remerciements

Certains livres s'écrivent très vite. D'autres, comme *Rouge poison*, s'étalent sur plusieurs années et connaissent de multiples transformations avant de trouver leur forme définitive. Je voudrais donc remercier ici tous ceux et celles qui, de près ou de loin, ont contribué à faire de *Rouge poison* ce qu'il est maintenant.

D'abord Charles Dufresne, avec qui, il y a une douzaine d'années, est née l'idée de départ de ce livre.

Madame Micheline Dallaire, titulaire de la classe de 5e année à l'école des Petits Chanteurs du Mont-Royal en 1993-1994, et tous les élèves de cette classe, qui m'ont gentiment reçue à plusieurs reprises cette année-là, et qui ont lu et commenté la première version du premier chapitre de ce qui allait devenir *Rouge poison*. J'avais promis de leur présenter le manuscrit complet « avant la fin de l'année » et de les remercier tous dans le livre imprimé. C'est ce que je fais maintenant, avec sept ans de retard ! Merci donc à : Renaud Bourbonnais, Jean-Michel Brisson, Antoine Cimon-Fortier, Robin Côté, Vincent Courteau, Gabriel Demers-Brodeur, Patrick Deschamps, Louis-Martin Dion, David Dover, Yacine Hannoun, Guillaume Imbleau-Chagnon, Adam Korzekwa, Maxime Laverdière, Philippe Marineau-Dufresne, Gabriel Martin, Guillaume Millette, Gilbert Neault, Raphaël Newman, François Péloquin, Émile Proulx-Cloutier, Joseph-Roi Ramos, Frédéric-Loup Robitaille, Simon-Olivier Roussin-Côté, Alexandre Rusu, Michel Saint-Jean, Olivier Séguin, Maxime Trudeau-Poitras.

Monsieur Gilbert Patenaude, directeur musical de la Maîtrise des Petits Chanteurs du Mont-Royal, qui, au cours de l'hiver 1994, a répondu à mes questions concernant les œuvres chantées par la chorale pendant la semaine sainte. Il m'est arrivé, en écrivant *Rouge poison*, de modifier certains choix afin de mieux répondre aux besoins de mon histoire. Si certains de mes choix ne sont pas plausibles – ou s'ils semblent incongrus – j'en assume la pleine et entière responsabilité.

Hervé Léger, qui a pris le temps de vérifier certains détails juridiques.

Carl Pelletier, qui a réalisé la superbe illustration de la page couverture.

Toute l'équipe des Éditions Québec Amérique, notamment Anne-Marie Villeneuve, éditrice du secteur jeunesse, Michel Joubert, responsable de production, et Isabelle Lépine, directrice artistique.

Diane Martin et Catherine Beaudin, qui ont assuré la révision du manuscrit.

Enfin, pour leur présence dans ma vie – et accessoirement pour leur lecture du manuscrit et leurs commentaires –, les personnes suivantes, dont l'amitié et l'amour me sont précieux : Geneviève Côté, Élise Gravel, François Gravel, Simon Gravel, Jeannette Labelle, Gérald Marineau, Jean-Claude Marineau, Catherine Marineau-Dufresne, Philippe Marineau-Dufresne, Pierrette Mathieu, Josée Saint-Antoine.

Michèle Marineau, août 2000

NOTE : L'hépacourine n'existe pas. J'ai inventé cet anticoagulant et lui ai prêté certaines propriétés très précises afin de répondre aux besoins de mon histoire.

De la même auteure

Jeunesse

La Route de Chlifa, Pocket Jeunesse, 2009.

SÉRIE MARION
Marion et le royaume d'Einomrah, Dominique et compagnie, 2009.
Marion et le Nouveau Monde, Dominique et compagnie, 2002.
   • **Prix Québec / Wallonie-Bruxelles 2003**

Albums
Cendrillon, Les 400 coups, 2000.
L'Affreux, Les 400 coups, 2000.